GAEA

Gaea

上課不要烤香腸

作者 Giddens 九把刀
插画 Blaze Wu

王大明，
你看起來好好吃❤

上課不要烤香腸

第一章／常去釣蝦場的外星人 5
第二章／紅山大旅舍 31
第三章／好多蛋的大蛇祭 121
第四章／嘴角他媽的的鞋帶 161
第五章／外星人的爛實驗 201
第六章／蒸汽繚繞的浴缸 263

CHAPTER 1

常去釣蝦場的外星人

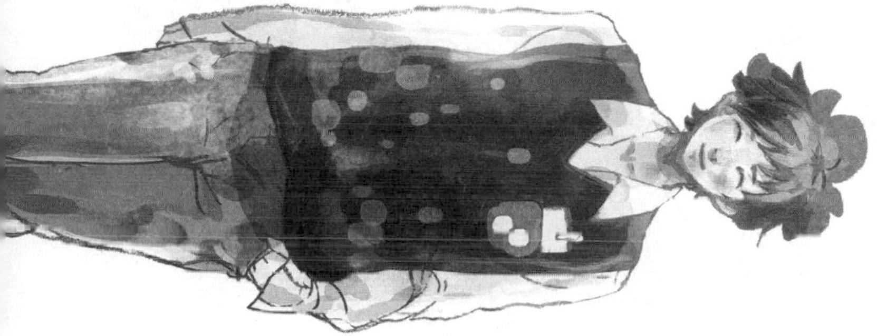

01

大家好，我是王大明。

雖然這是一個很不起眼的名字，我也是一個很不起眼的人，但，我的老闆可是一個很超級的作家。是的，他是九把刀，一個除了很色、很自大、很機巴、頭髮鬈得很醜、很自我感覺良好、很無視員工安危、網誌只回正妹的留言之外，其實也沒什麼大缺點的一個好老闆。

如果你有買我幫九把刀代筆的上一本書，就會知道我是如何成爲九把刀的助手，又如何爲他出賣我的靈魂上天下海幫他蒐集創作的靈感。

爲了避免讓有買上一本《上課不要看小說》的讀者覺得我靠回憶在灌水，所以以前發生過什麼驚濤駭浪的大冒險我就不再贅述了，自己去買來看，貢獻一下版稅，我老闆才能按時付我薪水。

此時此刻，我正在幫九把刀整理《哈棒傳奇》的續集稿子。

據他自己說，這篇內容充滿「打手槍」的噁爛小說其實在二〇〇五年就已經開始寫了，還寫了一半，只是當時遇到一些雞八毛讓九把刀不爽的事，逼得堅持要以快樂心情寫《哈棒》的他暫停《哈棒2》的稿子，另外寫別的小說搪塞出版社。眞是抗壓力超低的草莓族。

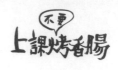

話說九把刀最近拍完了電影「那些年，我們一起追的女孩」，心情high了，又開始續寫《哈棒2》。我仔細看了一下稿子，寫得眞是糟糕透頂，那種智障又下流的內容居然可以編成一本書，出版社未免也太瞧不起讀者了吧？！

「寫得怎樣？」

九把刀拉起皮衣拉鍊，腳邊放著紅色行李箱。

「寫得太棒了，從打手槍這一件人人都會做的事寫到心理層面、社會層面乃至人類演化層面，眞的是寫作史上的一大突破，我該怎麼說呢？根本就是爐火純青了吧？」我毫不費力就擠出燦爛的笑容。

「我是天才吧哈哈哈哈哈！」開始爽起來的九把刀拿起桌上的車鑰匙。

「豈止天才，根本就是天才中的天才啊老闆！」我只能如此讚歎。

九把刀一邊說，一邊綁鞋帶。

「等一下你走的時候記得下樓倒垃圾啊，還有別忘了把乾屍踢到陽台再拴好，對了對了，還有這張水電費去便利商店繳一下，千萬別忘了啊！」

「是的老闆。」

在我印象裡的九把刀行事曆中，他今天似乎要飛去香港謝謝觀眾那麼愛看他的初戀電影，順便吃美食吃冰火菠蘿油喝好立克加麥片吃許留山逛街買皮衣牛仔褲住五星級飯店在頂樓游泳池肆無忌憚看穿比基尼的大奶洋妞，身為他的靈感助理卻一點份也沒有，只能留在台灣幫他無止盡地校稿挑錯字。

說到校稿錯字，我發現九把刀有一個惡癖，就是明知錯字還硬要用。

比如說，瀏海的「瀏」，明明應該寫成「劉」才是正解，但九把刀明知如此卻還是硬寫成「瀏」，理由是大家都習慣寫成「瀏海」而不是「劉海」，他覺得語言要有約定俗成的延展性，「積非成是」本來就是語言的特性之一。

又比如說「蠻」跟「滿」，正確的用法是「他滿高興的」，而不是「他蠻高興的」，但九把刀老是用「他蠻高興的」，理由也是一樣。雖然有時候編輯會偷偷把「蠻」改成「滿」。

最誇張莫過於「不明就裡」這個成語，九把刀老是愛用「不明究理」這四個字取代正確的用法，編輯問他幹嘛故意更動成語，他卻說：「我比較喜歡不明究理。」眞是直接了當的混蛋王八蛋——說到直接了當，有時候九把刀會用「直截了當」，也時候也會用「直接了當」，眞的是一個當王八蛋也當得毫無原則的王、八、蛋！

離題了。

就在王八蛋九把刀站在玄關準備出門的時候，他突然回過頭來。

這種突然的回頭，總讓我不寒而慄。

「王大強，你相信這個世界上有外星人嗎？」九把刀瞇起眼。

「老闆，是這個樣子的……嗯，我叫王大明。」我忍住捲袖子的衝動。

「咦？我剛剛就是叫你王大明啊？」九把刀一臉困惑。

「是的老闆。」我點頭，老闆個屁。

「反正！最近有一個讀者每天都寫信給我，跟我說他最近被外星人抓去做實驗，詳細他想見了面再跟我說，感覺很酷，但我沒空，我要去香港答謝電影觀眾的嘛！總之大強，你去幫我聽一聽。」

「因爲他是男的吧？」

「你去跟讀者見面，某個程度就代表了我，一定要給讀者親切的印象，有禮貌，鼻毛要剪乾淨，打扮要超潮，絕對不能語帶髒話，更不能油腔滑調，總之就是要有型。」

「因爲他是男的吧？」

「如果讀者任何的行爲帶給你困擾，也不能露出一點點不耐煩的表情，要竭盡所能地用微笑來敷衍他，說一些謝謝指教之類無關痛癢的話，總之就是要假得有誠意。」

「因爲他是男的吧？」

「但是注意了，這種非得見了面才肯把故事說給我聽的讀者，百分之九十九都有偏執狂，如果用獵人的念能力體系來比喻的話，就是龐姆那類的強化系，總之你自己小心一點了。」

「因爲他是男的吧？」

「記得，雖然你自己要小心一點，但你身爲一個專業的靈感蒐集專家，一定要有專業的靈敏度，遇到生命有危險的情況時，就表示什麼？」

「……就表示什麼？」

「就表示這是一個非常有價值的靈感情報，基於你是個專業的靈感蒐集專家，你一定要有即使犧牲自己性命也要把情報交給我之後才斷氣的覺悟，尊重生命，尊重專業。」九把刀語重心長地拍拍我的肩膀：「了解嗎？大強？」

「是的老闆，我非常了解。」我非常了解我老闆是一條大便。

九把刀將那個網友的聯絡方式留給我之後，就出門前往機場了。

02

對付潛在的偏執狂，最好約在公眾場所，我對對方也只有提出這個要求。

所以我們約在一間平凡無奇的釣蝦場。

「爲什麼約我在釣蝦場？」我狐疑，手裡拿著一根釣竿。

「因爲外星人就是在這間釣蝦場抓我去實驗的。」那個老伯東張西望，看起來有點神經兮兮：「而且……」

我屏氣：「而且什麼？」

老伯慎重地說：「而且我想釣蝦。」

嗯，沒錯，這就是偏執狂的典型。

明明覺得釣蝦場很危險，還執意要來釣蝦場受訪，看樣子不好應付了今天。

「說到外星人，你在寫給九把刀的email裡提到你被外星人抓去做實驗，那是怎麼一回事？」我假裝很有興趣，就當作是同情。

「我說出這個故事，有沒有錢可以拿啊？」老伯打量著我。

「錢？」

「採訪費啊，我說我自己的故事給你老闆聽，要收錢的。」

「眞的很抱歉，我老闆九把刀是個非常小氣的人，我出來幫他訪問提供情報的讀者，從來沒有給過錢，關於這點實在無法破例。」我反而鬆了一口氣：「所以我覺得今天就算了吧，大家一起釣個蝦交個朋友就好了。」

「這不大對啊，九先生拿我的故事寫成書，讀者再付錢買他的書，那他付我錢，不就是天經地義嗎？啊？給我錢不就是天經地義嗎？啊？給我錢不就是天經地義嗎？啊？給我錢不就……」

「我當然知道是天經地義，BUT！」我打斷老伯歇斯底里的疊字廢話：「人生最無解的就是這個BUT－BUT我就是沒有經費可以給你，所以你也不必講故事，OK的老伯，這種事本來就是你情我願，就跟嫖妓一樣。」

「但我需要錢，連外星人把我的奶頭拿走都有給錢了，爲什麼……九先生給我錢不也是天經地義嗎？啊？給我錢不就是……」

「關於錢的問題我實在幫不上忙，反正我們今天就快快樂樂釣蝦。」我再度打斷老伯的廢話：「你不必講故事，我也不必聽故事，大家都happy。」

於是對話不愉快地中斷。

雖然氣氛有點尷尬，但我既然來了釣蝦場，也想釣一下下再走。

我一邊釣，一邊偷偷觀察這個老伯。

這個口口聲聲號稱被外星人抓去實驗的老伯，年約六十多歲，長得很普通，身高很普通，口條很普通，想拿錢的想法也很普通，手裡的釣竿在半個小時內絲毫沒有動靜，可見釣蝦的技術也是普普通通。

問題是，這位老伯既然特地寫了封很時尚的email，肯定不會就此罷休。

不知道晃了多久，我釣到了五隻蝦子，老伯釣了個屁。

我聽見一聲好長的嘆氣。

「其實……我也可以不拿錢。」嘆氣的當然是老伯，表情像是下定決心。

「別太勉強啊老伯。」我根本不在意，看著水面上的釣魚線。

「聽好了，我可以推薦你老闆九先生一起去給外星人做實驗，只要九先生把外星人給他的實驗費給我，我就跟你講那些外星人是怎麼在我身上做實驗的，畢竟我講故事給九先生去寫書，收九先生錢是天經地義，但九先生不給我講故事的錢，就要給我實驗費當補貼，這也是天經地義啊……」

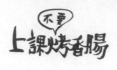

哇靠，這種事還可以推薦啊？

「謝謝你老伯，那請問什麼時候上飛碟呢？」我忍住笑意。

「他們做實驗不在飛碟的，是在……啊！」老伯突然大驚：「我說得太多了，那種事都是收錢才能說給你聽的，畢竟……」

「畢竟你說故事給我聽，我給錢也是天經地義的，我了解我知道。」我被迫打斷老伯的廢話連篇：「但我說了沒錢給你，老伯你眞的可以專心釣蝦或早點回家睡覺。」

「我沒辦法睡覺，因爲那些外星人把我的腦袋割掉一部分，所以我很久都沒有睡過覺了……啊！其實這種事我也不能免費說給你聽的，畢竟……」

「好好好，我知道，如果我眞的被你推薦去給外星人做實驗，只要他們給我錢，我就把錢通通給你，這樣行了吧？」既然不可能發生，我也就完全不在意。

「不不不不，不是這樣的，是你老闆九先生要去被外星人做實驗，不是你。」

雖然我老闆九把刀根本來不及同意（我想也不可能同意），但老伯已經開始無法克制地說起了那些亂七八糟的實驗故事，我也只好一邊釣蝦一邊聽著。

03

一年前，這個老伯在這間釣蝦場釣蝦的時候，外星人來了。

起先外星人很有禮貌地發名片，問在場有沒有人願意配合實驗，結果沒有人感興趣，於是生氣翻臉的外星人就用奇怪的高科技帶了幾個人走，包括老伯。

老伯被帶到一間外表普通、內部也很普通、位於汐止的一棟頂樓加蓋公寓，跟他一起被綁走的人大概有五、六個，有男有女，經過簡單的基本資料訪談後，第一個登場的實驗就是交換手。

所謂的交換手，顧名思義，就是交換手。

外星人將大家的手通通切下來，然後隨機移植給彼此。

手術結束後，大家被關在公寓裡限制行動，外星人煞有其事地記錄大家的術後反應，或許是看看有沒有人不適應新手、有無過敏反應、會不會不高興被換手之類的吧，這段時間外星人無限供應雞排跟珍珠奶茶以及蔬果579，維持所有人基本的營養。

不像電影，外星人都會消除對方的記憶才放人回家，那些外星人只是將他們送回釣蝦場就走了，所以老伯一直對自己曾被外星人切手換手的經歷耿耿於懷。

後來老伯憑著記憶回到汐止那間頂樓加蓋的公寓，那間公寓竟然沒有像科幻小說形容的「憑空消失」，只有一戶尋常人家住在裡面，老伯問那家人關於外星人的事，那家人只說他們剛搬來不久，什麼外星人的根本沒聽說，最後還叫警察把失控叫囂的老伯帶走。

然後……

「等一等。」我阻止老伯繼續講下去。

以上短短一段超精簡的敘述，至少有七處可疑……或者說愚蠢的地方。

1. 外星人來了？外星人大剌剌走到釣蝦場的畫面，已經令我暈眩。

2. 外星人發名片？短短六個字就知道所有敘述都是唬爛。

3. 沒有飛碟，而是公寓頂樓加蓋，超不科幻的爛設定。
4. 交換手是什麼爛實驗？
5. 雞排跟珍珠奶茶也就算了，什麼蔬果579根本就是置入性行銷。
6. 爲什麼外星人不消除大家的記憶？
7. 鬼話連篇。

我看了一下老伯的手，完全不見手術的痕跡，一滴疤都沒有。

「你的手看起來沒什麼……改變嘛！」我冷笑。

「我的運氣很好，雖然是隨機挑選，但我竟然還是幸運地接回我自己的手，完全沒有感覺到曾經被手術過，非常神奇，外星人的科技很高，既然可以穿梭宇宙來到地球，一個簡單的切手又接手的手術做得如此完美，果然是天經地義啊！」老伯有些得意地展示自己完全沒有手術痕跡的雙手。

「但這個實驗有什麼目的嗎老伯？」我勉強自己發問。

「剛剛不是說了嗎？外星人想知道交換手的感覺嘛！」老伯沒好氣。

「請問這種實驗有、什、麼、意、義、嗎、老、伯？」

「就外星人想知道交換手的感覺啊！」老伯難以置信地看著我。

那種眼神，好像在看一個低能兒。

「名片呢？我要看外星人的名片。」我壓抑著白白被浪費時間的微怒。

「早就丟了，那種不值錢的東西我才不要咧。」老伯嗤之以鼻。

老伯繼續說著看扁所有讀者智商的故事。

後來外星人持續來釣蝦場發名片抓人去做實驗，由於老伯常常來釣蝦場，所以他一直重複地被抓去做實驗，也是非常合理的一件事。而每一次外星人都會在不同的頂樓加蓋的公寓裡進行怪手術，老伯猜測是方便飛碟起落的關係……儘管他從未看過飛碟。

第二次被抓去，外星人用奇怪的科技將老伯其中一個奶頭給消掉。

第三次被抓去，老伯參加的實驗主題是吃蘿蔔比賽。幹那是三小！

第四次被抓去，老伯的腦袋被切掉一部分，從此再也不須要睡覺也根本睡不著。終於有一點高科技實驗的樣子了，但有沒有睡覺誰說了算？

第五次被抓，老伯泡在奇怪的液體裡睡了幾小時，醒來時外表已嚴重老化。

□

「所以不要再叫我老伯了，我今年只有二十一歲，說不定比你還年輕。」老伯語重心長地說。

「但你看起來實在是不像……二十一歲啊老伯。」我漸漸提不起勁。

瞧我不信，老伯表情神祕地從口袋裡拿出一張縐縐的身分證。

身分證上面的資料表示，這個老伯叫張柏聖，民國八十年生，戶籍在新店，完全可以證明這個叫張柏聖的人今年的確是二十一歲。

但問題是，眼前這位老伯長得完全不像是那個叫張柏聖的年輕人的老年版！

他們根本就是兩個人！

「怎麼樣，不由得你不信了吧？」老伯神氣得很。

「眞是不得不信了呢。」我隨便附和，加重語氣：「老、伯。」

撿到一張身分證就想唬爛我，會不會太瞧不起人了。

不過我很快就想到，剛剛老伯提及的那五個實驗裡，唯一可以證明外星人曾經在老伯身上動手過的項目，就是消掉奶頭了吧？

雖然是個蠢不可及的實驗，我還是壓抑住我蠢蠢欲動的智商問道：「老伯，不介意的話，我想看一下你的奶頭。」

面對我單刀直入的問題，老伯顯得有點害羞。

面對老伯裝模作樣的害羞，我覺得非常火大。

我不想說話，老伯也沒有說話，場面頓時有點尷尬。

「你先給我看奶頭，我再給你看我的奶頭。」老伯臉紅。

「我不要。」我斷然拒絕。

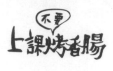

「你不要，那我也不要。」老伯咬牙。

「老伯，今天不是我想看你的奶頭，而是我想確定你的故事是不是眞的，所以即使我很不想看也不得不看。」我不由自主握緊拳頭，眞的是超氣：「我想看你的奶頭，完全出於非常正常且合理的動機，你想看我的奶頭，卻只是想看我的奶頭，完全很無聊。」

「我給你看我的奶頭，你也給我看你的奶頭，這叫天經地義。」老伯的臉更紅了，倒底是在紅三小。

我氣到失去理智，氣到馬上拉開衣服，把我的奶頭秀給老伯看。

老伯也只好依照約定拉開他的衣服，把他被外星人弄消失的奶頭秀還給我。

等等。

不是被外星人消掉奶頭了嗎？怎麼我看到好端端的兩個深棗色的大奶頭呢？

「你有兩個奶頭。」我的表情一定很肅殺。

「沒錯。」

「你不應該有兩個奶頭。」

「如果你仔細看的話就會發現，我左右兩邊的奶頭其實不是同一對奶頭，我左邊的奶頭比較大，而且顏色有點偏紫，比起來我右邊的奶頭小一點，顏色淡多了，還有幾根金毛在邊邊，你看……靠近一點看……」

我拒絕了。

近距離凝視一個男人的奶頭，不是我做人處世的風格。

「老伯，你不是說外星人把你的奶頭消掉了嗎？」

「沒錯，那是一種非常高科技的手術，首先他們把一種黏黏的藥膏塗在我右邊的奶頭上，一開始有點涼涼的，再來我的奶頭就開始發熱，熱到好像著火了，我一看，結果我的奶頭眞的在冒煙，我嚇壞了，我心想這次的實驗未免也太恐怖了吧？那些外星人開始拿像吸管一樣軟軟的東西壓在我冒煙的奶頭上，然後開始吸……」

「總之你右邊的奶頭就這樣不見了。」

「是的。」

「但他媽的你的奶頭好端端長在幹你娘的胸部上啊老伯。」

「不要叫我老伯，我今年才二十一歲。」

「年輕人，我說你他媽的奶頭好端端長在幹你娘吹喇叭的胸部上啊！」

「那是因爲我還沒有跟你提到我去做的第八次實驗，那個實驗很恐怖，外星人把他們搜集到的好幾個人的奶頭，移植到不同人的身上，我現在右邊這個新奶頭就是那個時候被移植過來的，我研究這個新奶頭很久，我猜這個奶頭以前的主人一定是個洋鬼子，要不然奶頭邊邊這幾根毛怎麼會是金色的？說不定還是女白人的奶頭！」

「原來如此。」我恍然大悟。

我已經百分之一億確定，今天晚上的對話通通都是——廢話！

有了這層果斷的認知之後，我心中的怒氣反而一掃而空。

相信這個世界上有外星人容易，還是相信你旁邊有一個神經病容易？

答案不言而喻。

既然是神經病，就不用太計較，我開始呵欠連連。

話匣子打開，老伯繼續他詭異的實驗敘述，關於第六次第七次第八次第九次第十次的種種莫名其妙的外星人手術，其實驗內容之無聊透頂，比如「把包皮與眼皮交換看看，看會怎樣」跟「人類可以在一個小時之內生吞幾隻蝸牛」之類，顯示外星人是一群千里迢迢跑來地球的智障。

「所以這位有爲的年輕人，這麼晚了還不回家睡覺啊？」我又打了個呵欠。

「因爲我不用睡覺啊！」老伯壓低聲音，指著絕對沒有手術痕跡的腦袋。

「嗯啊，那很好啊。」我眞是白問了，是我的錯。

「後來我太常被外星人抓去實驗，久了，大家也有點熟了，我乾脆建議他們至少付個錢，大家的配合意願會比較高，他們覺得我的建議很好，所以從第六次實驗起他們就開始付我錢，有時候他們想要特定品質的人類讓他們實驗，他們還會請我幫忙推薦，除了被推薦的人可以拿實驗費之外，我也可以拿推薦費。」

「嗯啊，那很好啊。」

我發現池面上的釣魚線微微晃動，一拉，果然又釣到一條肥嫩嫩的泰國蝦。

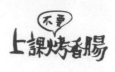

「我拿推薦費本來就是天經地義，但你老闆九先生不能免費聽我的故事，所以外星人給九先生的實驗費，我也要拿，這也是天經地義。」

「嗯啊，那很好啊。」

我將釣到的泰國蝦放進腳邊的水桶裡。

「每次外星人抓人去做實驗，都有不同的主題。」老伯兀自嘮嘮叨叨個不停：「他們說，之後有一個實驗主題需要幾個智商特別高的人，要針對智商超高的人做針對性的實驗，他們希望我推薦一些很聰明的人配合一下。」

「喔我了解了，所以你覺得九把刀智商很高是吧？」

我慢條斯理將肉塊重新掛上釣鉤，拋線入池。

「沒錯，我覺得九把刀可以一直亂寫書催眠讀者，一定很聰明吧？所以我就把他列入推薦名單中，希望他可以配合一下，就當作是促進地球的宇宙外交，而且還可以當小說題材寫，這也是天經地義是吧？」

「九把刀是不是智商高我不那麼確定，但如果外星人要找道德低落的人實驗的話，我一定親手把九把刀送上飛碟……喔不，是公寓。」

「反正你已經答應我了，務必請你老闆跟我去一趟實驗。」老伯認眞起來。

「拜託不必那麼麻煩，促進地球宇宙外交這種事我也很有興趣，我來就可以了，別看我一副帥氣的外表就以爲我沒有內涵，其實我可以擔任九把刀的靈感助理，就是因爲我有超凡入聖的高智商，如果老伯你不介意的話，下次外星人找你做實驗，別忘了帶高智商的我去飛碟……喔不，是公寓，去見識見識。」

老伯沉默了片刻，這才搭腔：「這樣也行，只要你通過外星人的智商測試、證明你的確是個高智商的人以後，你就可以代替你老闆去做實驗。」

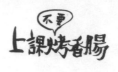

「一言為定。」我又打了個呵欠。

「如果你通不過智商測試，你老闆還是得親自去實驗。」

「就一言為定了啊。」

「但如果是你去，你還是要把實驗費通通給我。」老伯不忘這點。

「知道了……」我還是打了一個呵欠：「這是天經地義嘛！」

那天晚上，常常去釣蝦的老伯沒有釣到一隻蝦子，我則釣到了十七隻。

我在一旁烤蝦子的時候，大方地分了這位年輕有為的老伯一起吃。

本以為這只是一場莫名其妙的外星人之夜，但很遺憾，這個世界對我並沒有那麼好。

當然那又是另一個故事了。

CHAPTER 2
紅山大旅舍

01

上一篇莫名其妙的讀者訪談記錄裡，我提過我叫王大明。

但我忘了跟大家複習一下我爲什麼成爲作家九把刀的專職助理。

是的，雖然幫九把刀有錢賺，但我有更崇高的理想，我是爲了尋找我爸爸被不明液體溶解之謎，才決定委屈自己幫九把刀上天下海尋找寫小說的種種靈感，我覺得可以用九把刀給我的經費增廣見聞之餘，一定可以蒐集更多關於我爸爸神祕死因的情報，也因爲如此，我歷經了許多人十輩子也難以想像的奇異旅程。

然而，眞正的男子漢不能老是遙想過去的豐功偉業自慰，我們要活在當下！當下！

當下，我正與我的老友阿祥愉快地趕路。

話說，由於我老闆的網誌人氣很高，常常有讀者到九把刀的網誌上要求東要求西的，比如懇求九把刀發文請網友點一下美少女票選的某號碼、比如要九把刀找一下他家走失的狗狗、比如要九把刀幫忙宣傳一下他們系上舉辦的有禮貌運動、比如要九把刀代貼一下他爲了要寫論文不得不設計的問卷讓讀者塡寫回送等等，一大堆的要求。但我老闆大概只會幫忙找狗，其他都假裝沒看見。

但是啊，前幾天有個國中生讀者寫信給九把刀，說他的老家在花蓮深山，那裡有個部落即將舉辦擁有幾百年傳統的神祕大蛇祭，那個讀者希望九把刀發揮影響力，在網誌上幫忙召募志願獻給大蛇的網友，還熱情邀請九把刀去當觀禮的嘉賓，並保證一定會安排最好的位置給他。

九把刀就納悶啦，回覆問道：「什麼叫獻給大蛇？跟大蛇丸有什麼關係？」

由於我老闆很少回覆不是正妹的留言，那讀者就high啦，迅速又留言：「當然是讓大蛇活活吃掉啊！保證血腥，恐怖絕倫啊！請刀大一定要來賞臉！」

九把刀火速回覆：「喔，但是你沒有寫大蛇祭在什麼時候，我去個屁？」

那讀者畢恭畢敬：「刀大您有所不知，大蛇祭就好像過年圍爐，當然要等人都到齊了才動筷子，大蛇祭當然也是要等獻祭的人都到齊了，大蛇才會開動啊。所以一切就等願意獻身的網友聚集到部落的時間決定啦！」

「眞的很酷嗎？」慘了，九把刀開始感興趣了。

「眞的眞的！如果刀大願意過來，我們全村一定會拜託大蛇吞慢一點，讓刀大看得一清二楚！」這個留言的讀者簡直樂壞了。

這種一看就是超白爛的留言，九把刀倒是看得津津有味。

他轉頭跟我說：「王大明，這件事明顯跟你爸爸當年被溶解的原因有關。」

我大驚：「哪可能有關！」

九把刀堅定不移地說：「就算只有千分之一可能有關，你還是得去看一下，畢竟這是你身爲兒子調查眞相的責任。就算只有萬分之一可能有關，你還是要去看一下，因爲你拿我的錢，叫我老闆。」

好吧，最後那句話說服了我。

反正交通費、住宿費、餐飲費甚至還有特別行動金，所有旅費通通都是九把刀那白痴出的，我倒是不介意拿他的錢去花蓮玩一趟，就算完全沒有蒐集什麼題材也不能怪我，這可是他自己的決定。

「好吧，我會想辦法帶回厲害的題材。」我敷衍道。

「記得要把大蛇吃人的畫面拍得很有魄力喔！」九把刀用力拍我的肩，狂笑：「哈哈哈哈哈哈哈哈！可不要弄到自己也被吃了啊！哈哈哈哈哈哈……」

笑個屁。

□

當我開始收拾行李時，九把刀拿了三個紅色小錦囊給我。

「這些是保命用的緊急錦囊，除非萬不得已，否則不能打開。」九把刀面色凝重地說：「切記，切記。」

「啊？那裡面裝了什麼？」雖然是好意，但我不禁好奇起來。

「裝的當然是很厲害的東西，平常絕對不能打開來看，一打開，就會用掉一次救命的威力。」九把刀的表情很嚴肅：「記得隨時帶在身邊，就算是睡覺也得放在枕頭邊，記住了嗎？」

「嗯啊。」

「如果沒用到，記得拿回來還我。」

「到底是什麼厲害的東西啊？」

我咕噥，但還是把那三個紅色錦囊放進背包裡。

02

好不容易去一趟花蓮，我立刻聯絡我的大學的社團同學阿祥。

說起阿祥，他跟我都是橋牌社的社員，原本我們都是抱著學橋牌的心態進去的，可是橋牌社僅有的四個學長都不會打橋牌，讓我們大吃一驚。

那四個學長說，橋牌社不會打橋牌就是我們橋牌社重要的傳統，萬萬不可以斷在我們手上，所以他們堅持不教我們打橋牌，也不准我們自己私下學，有一次我偷偷看橋牌規則還給揍了一頓，於是我們只好開始玩象棋打發社團活動時間。

但有一次我們在社窩玩象棋被學長看到了，他們很生氣，一邊用棋盤打我們一邊大叫：「尊重兩個字會不會寫啊！要玩象棋不會去象棋社玩喔？搞清楚！這裡是橋牌社！橋！牌！社！」然後就拉著我們一起玩大富翁。

學長說，雖然我們是橋牌社，但玩大富翁是橋牌社重要的傳統，絕對不可以斷在我的手裡，於是我們就被迫玩了整整一年的大富翁。

當然了，等到我們當了學長，當然也嘗試打了學弟很多次、好將橋牌社重要的精神傳承下去，但我們失敗了，學弟實在太強壯了，反過來還被他們痛扁，於是橋牌社的傳統就改成學弟們非常著迷的扯鈴。

我雜七雜八講了這麼久，就是在說阿祥跟我的革命情感。如果奧運有一個項目叫「逆來順受」，阿祥跟我可以連袂代表台灣出國比賽。

阿祥老家就在花蓮。

平時他在台北的光華商場賣筆記型電腦打工，但愛鄉愛家的他每兩個月就會回去一次。那唬爛至極的大蛇祭他聽都沒聽過，不過他倒是很有興趣順便跟我去一趟。

「你不覺得超蠢的嗎？」我忍不住問，雖然阿祥要陪我我很高興。

「是很蠢啊，不過你剛剛說那個部落靠近哪裡？」

「地圖是說，在紅葉的更裡面。」

「是了啊！紅葉那邊很漂亮耶，往裡面再走一點一定更美。」阿祥興高采烈拿出他新買的數位單眼相機，把玩著說：「我還特地帶了新相機去，這個時節一定可以拍到很多楓葉火紅的山景，眞希望那個部落越神祕越好，我一定要拍到別人都沒拍到的風景！」

嗯嗯這樣也好，阿祥有他自己的旅行目的，如果根本沒有什麼大蛇祭，甚至根本沒有那個神祕的部落，我也就不用費事跟他道歉了。

03

我們一起坐太魯閣號舒舒服服地來到花蓮，再搭公車往紅葉的山區前進。

下了公車，我們在附近的老舊溫泉旅舍泡了一個暢快的溫泉，暖暖身子，把搭車的疲憊感都洗去後，繼續我們的小跋涉。

接下來就沒有正常的路可以走，必須徒步穿越一個車子無法通過的區域，當然我手上拿著這一位讀者傳給九把刀的手繪地圖翻拍照，才能勉強辨識前進。

不得不說這位讀者用心良苦，爲了白痴的九把刀，也爲了根本不存在的獻身志願者，他在許多大樹上都綁著顯眼的紅色旗佈，每隔約三百公尺就有一棵被標記的大樹讓我們確認目前的進度是對的，所以沒有什麼害怕迷路的感覺。

只是地圖上沒有標明「所需時間」，我們又沒什麼登山經驗，無從估計到達神祕部落還要多久，於是我們只能繼續前進，越走越深。

一下子聽見潺潺溪水聲，一下子水聲又慢慢遠去。然後又忽然聽得很清楚。

一下子聽見好像有熊在叫，一下子又聽見蜂群隱隱在鄰近處盤旋。

老實說，還真有點怕怕的。

幸好雖一路崎嶇，但我們走的路不算難走。雖然沒有好好地鋪上人行石階，還是可以感覺到腳底下的路是偶爾會有人走過的，並非原始的獸徑，有時候還可以看到經過的樹、樹皮上刻有某某情侶到此一遊的留念。

雖然沒公德心，但看了竟然有種安心的感覺。

「眞棒，久久回一次花蓮，每次都覺得山裡的空氣讓我身心舒暢呢！」阿祥倒是樂在其中，沿途不停地按快門。

「是喔，我是希望快一點到啦。」我敷衍道，一直走走走，腳實在是累了。

天色漸漸昏暗起來，還看不到所謂的部落。唯一的安慰就是偶爾可以看到綁著紅布的大樹，證明我們還走在正確的路上。

「阿祥，你覺得還要走多久啊？」我觀察天色。

「我怎麼知道？」阿祥自顧自拍照。

「總之，看樣子天黑前是走不到了。」我嘆氣。

「你累了的話，就找個地方休息吧。」阿祥正在拍蝴蝶，眞有閒情逸致。

「不是累而已，我聽說登山時晚上絕對不要趕路，容易迷失方向，而且晚上本來就應該好好休息，白天才有力氣衝衝衝啊。」我沒好氣。

「好啊，所以我們要立刻紮營嗎？」阿祥天眞無邪地看著我。

「……我沒有帶帳篷。」我眉頭一皺，發現問題並不單純。

「我也沒有耶。」阿祥停下腳步。

「我沒有帶睡袋。」我倒抽了一口涼氣。

「我也沒有。」阿祥瞪大眼睛，終於感覺到事態嚴重了。

這下可好，我們實在是太天眞了，完全沒有準備要在野外過夜的兩個人，是一男一女也就算了，還可以用力抱著一起睡覺，冷的時候還可以一起做交換體溫的運動，但兩個男的怎麼睡？剛剛一路上甚至沒有看到涼亭，睡在地上肯定會睡到感冒。

唯一的希望就是，我手上的網友地圖底下標明了「紅山大旅舍」五個字，後面還附註一行小字：山友旅途的良友，深夜避寒的好去處。

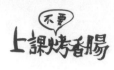

感覺是個很可靠的地方。

「紅山大旅舍？」阿祥探過頭來看，咦了一聲：「還有多遠啊？」

「不知道，不過既然是大旅舍，應該一眼就可以遠遠看到了吧。」我張望著遠方，滿懷期待地說：「如果即時趕到的話，眞想洗個熱水澡啊！」

這個不曉得到底存在不存在的旅舍算是個目標吧，有目標走起路來就像重新啓動馬達一樣，讓人精神爲之一振。

「你覺得那個旅舍有可能開在這種荒郊野外嗎？」阿祥又拿起相機拍鳥。

「地圖上面既然寫了，就應該有吧？」我隨口：「民宿也常常蓋在奇怪的深山或海邊啊，這樣才有特殊的風格吧。」

「對耶，眞希望那間旅舍有溫泉。」阿祥懷念起幾個小時前的那一泡。

「說不定有喔，紅山聽起來就像間老式旅館，以前的旅館常常都有溫泉。」

「尤其在山裡，更應該有溫泉吧？」阿祥的邏輯有點自以爲。

「有溫泉是很好啦，但現在只要有普通的熱水澡，我就謝天謝地了。」

我們一邊走一邊抬槓，起先還有點接話的興致，可隨著疲倦感漸漸有一搭沒一搭地沒了勁，阿祥拿起相機按下快門的次數也越來越少。實在是太累了。

當我們帶來的水喝到剩一口的時候，太陽已完全沉進我看不見的山谷底。

「會不會那間紅什麼的……旅舍倒掉啦？」阿祥氣喘吁吁。

「就算倒掉，也還是有個建築物在吧？」我也累得發暈：「睡在廢棄的旅舍裡面，也比睡在大樹下好吧？」

再走一個小時，我們只能乾吞口水解渴，天色已昏暗到沒有打開手電筒就完全看不清楚前方的程度。

但我們沒有打開手電筒——因爲我們根本沒有手電筒！

「唉，用手機照明吧？」我說，拿起手機。

「也只能這樣了。」阿祥的聲音充滿疲憊，也拿起手機。

就在我們拿起手機的時候，用發亮的螢幕往前一照的時候……

「紅山大旅舍！」阿祥興奮大叫。

「什麼？」我傻眼。

「哈哈踏破鐵鞋無覓處，柳暗花明又一村！」阿祥往前快跑，跑得飛快。

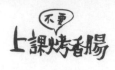

雖然這上下聯組得怪怪的，但我還是跟著阿祥往前快跑。

「等等！跑慢一點啊，小心跌倒啊！」我跑得很心驚。

這麼暗，阿祥卻跑得超級快，甚至還沒有拿起手機用螢幕照射前方的路。

「哪裡暗？旅舍招牌的燈刺得我都快瞎啦！」阿祥非常興奮。

「哪來的旅舍？」我覺得莫名其妙。

「你在說什麼啊？就在那裡啊！」阿祥簡直歡呼起來：「到啦！」

正當我跑得心驚肉跳幾乎要跌倒之際，恍恍惚惚中，一棟充滿復古風情的小旅舍赫然出現在面前……

紅山大旅舍，紅色的五個大字刻在白色的招牌上。

「雖然開在深山裡的旅舍一定很貴，但也沒辦法啦，是不是？」阿祥很開心。

「也是啦，難得有客人來，住宿一定不便宜。」我笑著附和：「不過我們累炸了，當然要給人家賺一下啦！」

我們加快腳步。

紅山大旅舍

瞧外觀，這棟位居深山郊道旁的小旅館倒也不算小，有三層樓，舊舊的，感覺像是至少半個世紀以前的小溫泉旅舍，走的是日式風格。在這疲倦困頓中即時趕到，讓我們整個人都充滿了精神。

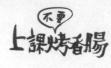

門當然不是自動門，但門上的玻璃擦得挺乾淨，門上寫著地圖上的那兩行字：「山友旅途的良友，深夜避寒的好去處。」喔喔，果然一點沒錯。

一打開門也沒有預期中的霉味，反而有股淡淡的清香。

光線不是很明亮，只有一根日光燈管嵌在天花板上，發出冷冷的淡青色光。但整體來說感覺不壞，至少還有燈泡，而不是點白蠟燭的恐怖氣氛。

我們走向櫃檯，櫃檯後只有一個上了年紀的老婆婆戴著老花眼鏡在看書。

「老闆娘，我們要住宿。」我打招呼。

雖然大概不需要，但我還是將身分證放在櫃檯桌上。

「……請問要住幾天？」

老婆婆笑咪咪看著我，果然沒有要登記資料的意思。

「住一個晚上。」

「啊？才……」老婆婆的臉色一黯，語氣失望：「才一個晚上啊。」

雖然我理解老婆婆難得遇到客人想多賺點錢的想法，但無論如何，我們明天就得啓程前往那個可笑的神祕部落，無法久待，實在抱歉。

「哈哈放心啦老闆娘，我們很可能會在回程時順道在這裡再過一晚上啦，畢竟這附近只有一間旅館啊。」一直在大廳東張西望的阿祥，抓著頭走過來說：「對了老闆娘，這裡有溫泉可以洗嗎？」

「有。」老婆婆微一鞠躬。

「眞不錯耶！」阿祥驚喜，我也抖擻了一下。

「請問住一個晚上多少錢啊？」我趕緊拿起錢包。

「一個人，一百塊錢。」老婆婆伸出一根手指。

天啊！才一百塊錢！

還有溫泉！

這裡不只是山友的救星，價格還比公道價破盤再破盤！

「那……老婆婆，雖然我們只住一天，但我給妳一個禮拜的住宿費吧。」我豪氣十足地說：「反正是花我老闆的錢，妳不用客氣眞的。」

我立刻掏出七張百元鈔票放在桌上。

「對啊，而且妳在這裡開旅舍很不容易耶，讓我們贊助妳一下！」阿祥也爽快地拿起錢包，抽出鈔票放在桌上：「我也給妳一個禮拜的住宿費，哈哈，希望妳努力把它經營下去啊！」

「你們人眞好。」

老婆婆笑咪咪地收下我們的錢，向我們深深一鞠躬。

「好人會有好報的，就讓我好好地招待你們吧。」

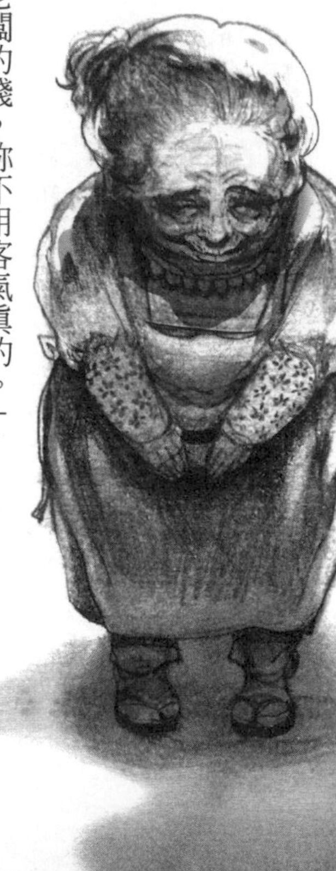

04

我們的房間是雙人房，各自一張單人床，素素的沒什麼裝潢，床頭燈是老式的黃色燈泡，衣櫃陳舊，床板很硬，被單有點薄，這些本在意料之中。

但房間著實打掃得滿乾淨，棉被疊得很整齊，衣櫃打開來一點霉味也沒有，可以知道老婆婆平日的用心，眞不愧是我們給足了七天住宿費的好地方。

「眞想不到，這種窮鄉僻壤的地方竟然會有這麼棒的旅舍，我們眞是太幸運啦。」阿祥將行李一股腦扔在地板上，大字形躺在床上：「哈哈哈哈哈……」

「窮鄉僻壤？」我同樣大字形摔在床上，不以爲然地說：「這裡根本就是荒郊野外啊。」

「對了，房間好像沒浴室？」阿祥環顧一下小到根本不須要環顧的小房間，單手拿著數位相機便亂拍了幾張。

「剛剛老闆娘不是說了嗎，這裡有溫泉。」我打了個哈欠：「溫泉一定是在樓下的大澡堂啦，老式的日本旅舍都馬這樣，大家一起洗，熱鬧又有氣氛。」

一想到暖呼呼的溫泉，再怎麼累我們還是硬爬了起來。

沒有帶帳篷與睡袋的我們，當然也不可能帶毛巾，所幸這間小旅舍貼心地提供我們老式的橘黃色大毛巾讓我們擦身體，還分文不取，根本就是行俠仗義等級的不可思議旅館嘛！

「老闆娘，其實做生意要賺錢，首先就是趁火打劫。」我嘆了一口氣，忍不住說道：「我們沒有帶毛巾，妳可以租給我們，就算租金是一百塊錢也很合理，畢竟這裡是深山嘛。」

「對啊對啊，老闆娘妳太老實了啦。」阿祥也猛搖頭。

「沒關係，只是毛巾而已，不必那麼客氣。來，跟我走。」老婆婆痀僂著身，慢慢地走在前頭帶路：「有點兒暗，我們慢慢走。」

穿過狹窄的走廊，旅舍後面竟別有洞天，飄著蒸蒸熱氣的大澡堂正等著我們。

一個不規則形狀的露天大池子就躺在澡堂中央，旁邊還有大自然的樹林環繞，古色古香。

「哇。」我讚歎，鼻子裡都是硫磺溫泉的氣味。

「眞不賴耶。」阿祥咧開了嘴。

「泡完溫泉後，不嫌棄的話，讓我招待你們一些粗茶淡飯吧。」年邁的老闆娘笑咪咪的，挽起袖子一副正要去廚房大顯身手的模樣。

「那就麻煩老闆娘了，我們都超餓的呢。」我笑道，其實現在就想吃了。

「天啊我們眞的是太幸運了。」阿祥笑得可燦爛了。

老婆婆走後，我們迫不及待跳進有點白濁的硫磺泉池子裡，熱呼呼的，舒服極了。

無暇抬槓，我們忙著舀起泉水從頭頂澆下，一路跋涉的疲憊感登時煙消雲散。自古以來歷史上的偉人都是這樣的，先苦後甘，歷經千辛萬苦最後終於泡到人生終點站之勝利的溫泉，肯定就是我們現在的境界。

不久，我們的皮膚都給燙紅了。

「或許是太久沒有招待客人了，老闆娘看起來很開心呢。」阿祥下巴浸在溫泉裡。

「嗯，等一下不管那個老婆婆做的菜有多難吃，我們都要全部吃光光，好回應她的熱情。」我雖是這麼說，但此時此刻簡單炒個野菜就是人間美味了。

「我想吃溫泉蛋。」阿祥的想法很古板：「加在泡麵裡就很好吃了。」

「我想吃炒高山高麗菜苗。」我認眞許願。

最後泡到肚子都咕嚕咕嚕叫了，我們這才依依不捨地裹著大毛巾離開溫泉。

□

回到樓上房裡要換乾淨衣服的時候，我將背包拉鍊打開的那一瞬間，登時有種強烈的異樣感衝擊著我。

那種異樣感是說不上的古怪。

「……」我感到有點暈眩，手臂上都起雞皮疙瘩了。

「怎麼了？」阿祥問。

「沒事。」我好像有點站不起來：「有點暈。」

「喔，我知道了，剛泡完溫泉有時候都會這樣，再加上肚子餓得血糖過低，頭就暈啦。」阿祥喃喃，用力把我拉起來：「快下樓吃東西就對了。」

有道理，但這只能解釋我爲什麼頭暈，卻無法解釋我爲什麼狂起雞皮疙瘩。

我的眼睛瞥見背包裡的……九把刀留給我的三個錦囊，我迅速想起來，剛剛那股異樣感就是從我打開背包、看見那三個錦囊之後才開始起雞皮疙瘩的。

不，不是剛剛，就連現在我手臂上的雞皮疙瘩都還沒退。

我下意識地將其中一個錦囊拿起，竟有種全身觸電的感覺，令我寒毛直豎。

「怎麼房間有點臭臭的？」我嗅嗅，是霉味，還有很重很重的泥土味。

「哪有？什麼味道都沒有啊。」阿祥跟著嗅來嗅去。

「就是剛剛下過雨時經過公園，平常聞不到的泥土味就會乘以十，那種程度的泥土味啊。」我抽動鼻子，自己糾正自己：「啊，也像是草的味道，總之都差不多。」

不，不只是泥土味或草味啊……

我慢慢站了起來。

這個房間還是剛剛的房間，但是總覺得有哪裡不一樣。

衣櫃還是衣櫃，還是那一個衣櫃，但總覺得有哪裡悄悄變了。

床頭燈還是剛剛那一個床頭燈，但絕對有哪裡不對勁。

還有，那股發霉的氣味幾乎黏在我的鼻腔裡，不管我怎麼抽動鼻子都還是聞得到。

錯不了，不只這房間裡的空氣百分之百不一樣，其他的擺設也一定有某些地方不一樣了，只是我暫時還不知道是哪裡不一樣。這一種很想覺得一切都沒問題、但心裡卻一直認定「一定有什麼不對勁」的感覺，一旦開始了就該死地停不下來。

「喂？你別嚇我。」阿祥皺眉。

「我……我沒有嚇你，我真的覺得這裡很奇怪。」我抓抓頭，想做個故作輕鬆的表情卻很勉強：「不過……到底是哪裡奇怪，我暫時說不上來。」

「不管了，先下去吃飯吧！」阿祥翻白眼：「我快餓死了。」

「……好吧。」我同意，不管怎樣，我肚子都餓扁了。

而我的手，已不自覺順勢將一個錦囊放進口袋裡。

想想，不管再怎麼不安，這間旅舍可以恐怖到哪裡去？不過就是鬼嘛！

鬼的話，我在鹿港那間破爛大旅舍裡見過的鬼可多了！還給我各式各樣包羅萬象的鬼，跳樓死掉的特技表演三人組、燒炭自殺的胖黑女人、跳水塔自殺的噁爛小女孩、上吊自殺的老人、死了還要繼續找人賭的爛賭鬼、割腕自殺的女文青……

「哼。」

我冷笑，什麼場面我沒看過！

05

下樓時，老婆婆已經堆滿笑臉，在大廳擺了一桌等著我們開飯。

「洗過溫泉，身子暖了吧。」老闆娘很客氣地微微鞠躬：「那麼請愉快用餐吧，小小野店，招呼不周，招呼不周……」

咦？

這個老婆婆的的確確就是剛剛那一個老闆娘，眼睛一樣，鼻子一樣，嘴巴一樣，皺紋感覺也……一樣，但是不久前才見過的老婆婆，有那麼老態龍鍾嗎？到底是哪裡變老了呢？

正當我感到迷惑的時候，阿祥忽然驚呼起來。

「哇！吃這麼豐盛！」阿祥的眼睛閃閃發亮：「簡直是滿桌子的山珍海味嘛！」

「啊？」我倒是大大地嚇了一跳。

哪來的山珍海味？

滿桌子亂七八糟的東西！

一大盆的蛹，一大盤的活蚯蚓，一大碗公的死青蛙，斷了一碟子的蜥蜴尾巴，一小盤莫名其妙黏稠的蟲卵糊，一鍋子攪了樹葉樹根與不知名野草的泥巴湯……差點沒教我嘔吐出來。

忽然，正在發嘔的我從老婆婆的眼中感覺到一股強烈的寒意。

那瞬間，我看見老婆婆的屁股後面搖著一條像是尾巴一樣的……尾巴！

也就在同一關鍵的瞬間，我之所以能夠成爲白痴王九把刀的靈感助手的最佳理由，閃電般竄進我的危機意識裡——那就是，天塌下來也處變不驚的無敵狀態！

清醒了。

我的心靈小宇宙已經完全清醒了。

「沒事沒事，我只是有點感冒不舒服。」我面不改色地拉椅子坐下。

「……」老婆婆打量我，搖著她的尾巴，臉色頗爲陰沉：「眞的沒事嗎？」

「一起吃吧老闆娘，這麼多菜，我們怎麼吃得完呢？」阿祥也坐下，興奮地拿起筷子。

「……也好。」老婆婆慢慢坐下，眼角餘光似乎正觀察著我。

那眼神教我不寒而慄。

「謝謝老闆娘的盛情款待，感激不盡！」我滿臉堆歡，率先挾了一條活蹦亂跳的蚯蚓進碗裡。

「那就不客氣啦！謝謝老闆娘！」阿祥一筷子挾起了半隻被從中間撕裂的青蛙屍體，大口嚼下：「哇！這山雞肉眞是超好吃的！」

瞧阿祥那一副狼吞虎嚥的模樣，我已經明白今晚的局勢了。

幹天幹地幹你娘，恐怖的不幸已經降臨……

百分之一億，我們遇到了傳說中的「魔神仔」。

以前我在網路上的鬼故事板看過許多關於「魔神仔」的傳說，迅速將眼前所見與那些穿鑿附會的傳言結合在一起。

所謂的魔神仔，就是在深山裡迷惑旅人的精怪，不是鬼，當然也不是神，好像也不算是妖，而是一種無法被歸類的……不知道是什麼東西，所以被取了一個「魔神仔」的專屬稱號。

魔神仔迷惑旅人做什麼？

原因不清楚，但那些旅人被尋獲的時候正在做什麼卻毫無疑問……他們會兩眼無神地坐在地上，滿嘴的泥沙與昆蟲，笨笨地傻笑說不出話，這種失智失神的情況偶爾會持續好幾天、甚至是好幾個禮拜，最後才慢慢醒轉。

醒來後問他們，到底他們在山裡迷路的那幾天都在做什麼？那些旅人不是完全喪失記憶，就是信誓旦旦地說他們那幾天都什在非常豪華的大飯店裡、還被招待好幾頓豐盛的大餐……

豐盛的大餐是嗎？

我的碗裡正躺著條又肥又粗的活蚯蚓，不停地噁心蠕動。

「吃啊！剛剛不是還喊肚子餓嗎？」阿祥笑嘻嘻地挾起一條蜥蜴尾巴塞進嘴裡，喀滋喀滋。

「哈哈哈哈……好啊好啊……」我在心裡狂幹阿祥為什麼不去死一死。

不知道爲什麼，不只是滿桌子的爛菜，此時此刻我眼睛裡的所見都慢慢地產生了改變。

這不是旅舍。

這是一處充滿腐敗氣味的斷垣殘壁，張牙舞爪的老樹枯枝，鋪天蓋地的藤蔓，滿地的腐爛落葉，畸形隆起的巨大樹根，蚊蠅飛來飛去，幾隻烏鴉在樹枝上啞啞怪叫。

而我身上黏黏的氣味不是溫泉的硫磺味，而是不知所謂的酸臭味……天知道我們剛剛泡的是什麼鬼東西？！

最重要的是，看起來越來越老的老婆婆根本不是人，而是一個甩著尾巴的人形怪物。

而這個半人半獸的人形怪物正用非常凌厲的眼神打量著我，似乎正懷疑我爲

什麼不吃掉碗裡的那條蚯蚓。

我不禁打了一個寒顫。

這可是性命交關的時刻。

如果我不假裝自己也陷入了魔神仔的迷惑幻覺，勢必會有生命危險。雖然吃了還是可能有生命危險，但如果不吃，我現在！馬上！立刻就有生命危險！

這根本不是怎麼辦的問題，唯一的答案非常明顯。

「哇賽！這野菜真的是太好吃啦！」阿祥也挾了幾條蚯蚓在碗裡，然後迅速吃光光，大呼：「好新鮮啊，連舌頭都在跳舞了！」

「那是我自己在院子裡種的。」老婆婆怪聲怪氣，眼角餘光還在刺探我。

沒辦法了。

無計可施了。

「自己種的啊？那一定要嚐嚐看了啊！」我再無猶豫，挾起那一條大蚯蚓送進嘴裡。

我的舌頭並沒有跳舞，而是蚯蚓的肥大身軀在我的舌頭上跳舞。牠不斷驚慌亂竄，那觸感弄得我胃裡一陣天翻地覆的噁心。

「嘔！」我忍不住身軀一震，用盡全身的力氣緊閉嘴巴，沒有眞的吐出來。

「？」阿祥古怪地看著我。

「沒事……」我含糊地說：「太餓了，一下子吃東西有點不舒服。」

「哪來這種奇怪的講法啊？哈哈。」阿祥不以爲意，大口地嚼著滿嘴的肥蚯蚓。

一旁怪物老婆婆的眼神漸漸露出凶暴的樣態，我趕緊笑著用力咬下去。

啪……滋！

蚯蚓肥滋滋的身軀在我的嘴巴裡爆破，爆成兩截，我可以明顯感覺到兩截斷肉兀自骨碌骨碌得更厲害了，彷彿在做死前的奮力掙扎。三小！掙扎個屁啊！我也很掙扎啊！

「好吃嗎？」老婆婆的眼神掃了過來。

「嗯嗯嗯嗯嗯……」

我猛點頭，鎮定地一陣亂七八糟地咀嚼，還裝出十分好吃的扭曲表情。

蚯蚓的嚼勁黏答答的，屍體的汁液帶著強烈的土味。

只這一口，就這一口，就瞬間超越了我曾經在鹿港鬼旅館裡經歷過的猛鬼大進擊！！

「好吃嗎？」老婆婆的語氣有點冷淡。

我用盡全身的力氣，將那一大口亂七八糟的蚯蚓屍液給呑了下去，大叫：「媽啦！超好吃的！眞不愧是自己種的！」

「好吃就多吃一點。」老婆婆像是鬆了一口氣地笑了起來，幫我挾蚯蚓到碗裡：「來來來，不要跟婆婆客氣……」

客氣個屁啦！

「好耶！」

我一陣狼呑虎嚥，將那一大碗蚯蚓給通通扒進了嘴裡，想一次解決。

可我幾乎只嚼了一口，強烈的反胃感就從胃裡逆撲至喉嚨，讓我幾乎要吐了出來。

這種事沒人在習慣的！不可能有人習慣！

吃一百條蚯蚓就是痛苦一百次，沒有吃到第十條就突然感覺很爽口那種事!!

「……」我冷靜地咬了第二口，發現吃蚯蚓這件事有兩大噁心之處。

第一當然是蚯蚓很難吃，爆難吃，無敵難吃。

第二就是，蚯蚓會在我的嘴巴裡瘋狂地掙扎，那種觸感令人無法忍受。

蚯蚓很難吃這件事我無法改變，於是我用最快的咀嚼速度將嘴巴裡的一堆蚯蚓給嚼爛，再一鼓作氣吞下——那一瞬間我緊閉雙眼，兩手握拳，渾身發抖不已，額頭上肯定爆出十幾條被蚯蚓附身的青筋。

「怎麼啦？」阿祥疑惑地看著我，嘴裡也塞滿了蚯蚓。

「……」我張開眼睛，暴吼：「太！好！吃！啦！」

「來！這個更好吃！」阿祥用筷子猛指那一大碗公的死青蛙。

阿祥，我要殺了你。

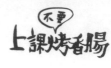

「真的嗎？該不會是騙我的吧？」我哈哈笑。

「騙你做什麼？這塊炒三杯雞超好吃的啊！」阿祥豎起大拇指。

阿祥，我一定要殺了你。

「不是吧？講得那麼好聽。」我笑呵呵地看著那碗公的死青蛙。

「這種事有什麼好騙的？」阿祥困惑地看著我。

「來來來，多吃一點，這老母雞也是我在院子養的。」妖氣十足的老婆婆溫馨地笑道。

我順著她的眼睛看向所謂的院子。

那不過是一個爛池塘，上面有幾隻白目不知死活的青蛙在呱呱叫。

「哈哈，好啊好啊。」我笑容滿面，幹在心裡。

正當我的筷子瞄準碗公裡最小的死青蛙時，老婆婆立刻幫我挾起裡面最大最肥的一隻死青蛙放進我的碗裡，說道：「年輕人多吃一點，別跟婆婆客氣。」

客氣個屁！

「那我就不客氣囉！」我挾起那隻痴肥的大青蛙。

我看著筷子上的渾然大物，牠生前一定吃了很多蒼蠅蚊子蜻蜓蝴蝶，屍體肥得要命。

可悲的是，這種體積絕對沒有辦法一口吃掉。

那怎辦？

逆來順受是我的強項，逆境就是我的力量，逆境——就是我的天命啊！

「自己養的啊……那一定得好好品嚐一下了。」我閉住氣，張大嘴。

不過，應該先吃哪裡呢？

先吃上半身，還是先吃下半身？

死青蛙的眼睛蒙上一層半透明的白膜，有種死不瞑目的感覺，於是我決定先吞下半身。

我嘴巴用力一咬，肥鼓鼓的蛙肚就爆破了，流出一堆亂七八糟的內臟與腸子，我的嘴頓時被塞滿。

「……」老婆婆看著我微笑。

我真的要吐了。

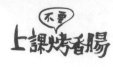

我明明就閉住氣了，爲什麼那一股中人欲嘔的腥味還是鑽進了我的腦裡？

人類的想像力眞的很讓人惱火，我只不過是看見大青蛙肚破腸流的慘狀，我就將那幅畫面所代表的腥味給模擬進腦袋折磨自己，這樣也中招！

我看著阿祥，他正愉快地吃著一隻大青蛙，滿不在乎地將牠的腦袋給咬碎。

……眞幸福啊阿祥，白白痴痴地吃著那種噁爛東西，你爸媽知道了一定很傷心。

「我要吃囉。」我大聲說，說給自己聽。

然後一口將青蛙的下半身連同那一堆亂七八糟內臟給咬進嘴巴裡。

當那一團冰冷的蛙內臟躺在我的嘴巴裡的時候，我不禁有個巨大的困惑……

爲什麼人類要有味覺呢？

爲什麼

爲什麼好端端的爲什麼要有味覺！

小孩子會挑食都是因爲多餘的味覺，沒有味覺的話人類就營養均衡了不是嗎！不是嗎不是嗎！

爲什麼

咕嚕。

我沒有咬，就整個唏哩呼嚕地呑下去，黏膩的感覺比生蠔還要像生蠔，比痰還更像痰。

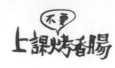

咕嚕。

我非常明顯地感受到兩隻青蛙腳在刮著我的食道，一路刮刮刮刮到了胃裡，跟那些碎成渣渣的蚯蚓屍塊永不分離。

「是不是！是不是超棒！」阿祥大讚，自己又挾了一隻死青蛙送進嘴裡。

阿祥，我一定要殺了你。

然後再殺你第二次。

我看著那青蛙的上半身，那死不瞑目的灰白雙眼。

你死得輕鬆，但我活得痛苦。

「的確超棒！」我怒極反笑，大口吞掉那半隻青蛙上身。

難吃！

爲什麼我要特地從台北跑來花蓮深山吃這種鬼東西！

「你們覺得好吃，婆婆就很欣慰了。」老婆婆笑得可燦爛了……那個該死的老妖怪。

接著，老婆婆訴說起自從她老公過世後，孩子也離家到大城市工作，這裡就留她獨自一個人經營偌大的旅舍，一個人打掃，一個人做菜，一個人養雞，一個人等待著遙遙無期的客人上門。自始至終老婆婆捨不得離開，就是因爲這間旅舍是她與老公一起打拚的所有回憶……

唬爛！

大唬爛不打草稿的老魔神仔！

「哇，好感動喔。」阿祥猛點頭：「一個人經營旅舍眞的很不容易，這裡說小不小，每天光打掃就很花工夫了吧。」

「對啊，老闆娘眞是情深意重。」我胡亂附和。

阿祥繼續白痴至極地大吃大喝，而我則漸漸進入了少年格鬥漫畫裡常見的「無」的狀態。

我嬉皮笑臉扒著活蚯蚓，呑死青蛙，吃著蜥蜴尾巴，用湯匙挖起奇怪顏色的蟲卵糊，將蠶繭當作藥丸一顆顆呑下，竭盡所能凌虐我的胃，臉上還不忘掛著僵硬的微笑。

老婆婆也是一起吃，在我不被迷惑的眼中，她露出滿嘴尖尖的黑牙，眼睛裡飄蕩著一股深邃的醜陋黑暗。

但我真正恐懼的還沒登場。

「吃得好飽，這輩子吃最好的就這一餐啦！」阿祥打了一個有夠臭的嗝。

「真的真的，我真的沒辦法再吃任何一點東西啦。」我笑笑摸摸被害慘了的肚子。

「吃飽了，也喝喝湯暖暖胃吧。」

老婆婆殷勤地幫我們盛湯，一個人一大碗。

——砂石雜草混泥湯！

「來來來，不要浪費了，這鍋湯很補的，是用人參、當歸、川芎、冬蟲夏草下去熬，還用野山豬排骨肉提味，慢火細燉十幾個小時。」老婆婆笑吟吟地說：「年輕人吃飽喝足，再睡一個好覺，才有力氣繼續趕路喔。」

阿祥大喝了一湯匙，滿臉讚不絕口：「我！的！天！感覺好營養喔！」

「……」我瞪著湯匙裡的泥巴，腦中一陣暈眩。

青蛙可以吃，只是很難吃。

蚯蚓可以吃，只是爆難吃。

蠶繭蜥蜴尾巴蟲卵通通都可以吃，只是無敵難吃。

但我的碗裡都是土！都是泥巴！都是小石頭！都是雜草！

我已經不想抱怨了，我戰戰兢兢地舀起一大湯匙，送進嘴巴裡，我想省略充滿屈辱的咀嚼過程直接呑下，卻發現根本沒辦法。因爲砂石充滿了粗糙感，全都卡在喉嚨裡，難以下嚥。

如果說蚯蚓充滿了土味，那麼，直接吃土的話又是什麼味道呢？

就是土！

身爲忍耐界的英雄，身爲恥辱國的王者，我還是花了整整半個小時，才將這碗毫無人性的湯給呑進肚子裡。

「你哭了？」阿祥訝異地看著我。

「……」我拭去眼角迸出的淚水：「我太感動了，彷彿一天的疲勞都是爲了晚上這一頓。」

「那最後這一隻雞腿給你吃吧，不好意思跟你搶啦。」阿祥幫我挾了最後一隻死青蛙到碗裡。

我淚眼汪汪地看著我的摯友阿祥。

阿祥，我詛咒你。

我詛咒你等一下拉肚子的時候拉出一堆爛泥巴。

「客氣什麼啦，快吃吧，我飽到想睡覺啦。」阿祥滿足地說。

「幹你……嗯，謝謝。」

我像吸麵條一樣將那隻青蛙腿給吸進嘴裡，總算結束了這一頓悲慘的晚餐。

老婆婆慢吞吞收拾著碗筷，詭異的尾巴搖來搖去。

「好累好飽喔，那我們去睡覺囉。」我趕緊說，免得還有瞎扯淡的餐後點心要吃。

「謝謝老闆娘，妳的手藝眞是超好的。」阿祥感激地說。

「好久沒遇到客人囉，你們開心，婆婆就開心。」老婆婆笑起來的表情有夠詭異。

我想阿祥跟我看到的老婆婆的表情，一定大不一樣。

「老闆娘晚安啦！」我從後面用力推著阿祥：「睡覺睡覺睡覺睡覺……」

「明天不用叫我們，我們會睡到自然醒。」阿祥看著我：「是吧？大明？」

「對啊對啊，我們醒來了自己會走。」我用拳頭催促著阿祥：「快點睡覺了啦！」

阿祥走上樓。

由於我的眼睛裡已看不到這虛幻的旅舍，只得亦步亦趨跟著阿祥上樓。

我們踩在破破爛爛的樓梯階上，往二樓前進。

我想這裡在很久以前，很可能眞是一間口式旅舍，畢竟那張從網路上列印出來的地圖上的確有「紅山大旅舍」的字樣。但不管怎樣，現在看起來這棟房子只不過是一間爬滿樹藤的鬼屋。

不過沒關係，我已熬過最艱難的部分了，接下來只要整晚不睡睜著眼睛看到日出，這虛幻的一切都將煙消雲散。而無法看到眞相的白痴阿祥也將清醒過來。

06

回到我們的房間裡。

「我要睡了喔。」阿祥幸福地大字形攤著。

「晚安。」

我冷冷地說，這個時候還不是跟阿祥解說我們遇到魔神仔的好時機。

躺在其實是冰冷石板的床上，我一點也不覺得溫暖，還覺得肚子怪怪的。

不，肚子不是怪怪的，它只是正常反應了它的抗議。說眞的，剛剛吃了那一些亂七八糟的爛東西之後就算我連續烙賽一個禮拜都不奇怪。

我看著爬滿樹藤的「天花板」，忍不住思考起這一切前因後果。

我想，之所以阿祥沉浸在美好的幻覺裡，而我卻能夠回復清醒，這一定跟我口袋裡的九把刀錦囊有關——自從我將背包打開來看見那三個錦囊以後，我就整個人哆嗦起來，緊接著我將錦囊放在口袋帶下樓，一切幻影都歸於現實。

這輩子我從來不曾感激過九把刀那個大爛人，但這一次我的心裡不禁湧起一股暖意。

或許是出於暢銷作家可怕的靈感，九把刀這次眞是神機妙算，不過……就算他神機妙算算到我會在深山裡遇到魔神仔，到底事先在錦囊裡面裝了什麼趨吉避凶的法寶呢？

叩叩。

叩叩。

有人敲門。

阿祥與我迅速對看了一眼。

「等一下喔！來了來了！」無視我憤怒的眼神，阿祥迅速起身開門。

站在門外的當然是老闆娘老婆婆。

「老闆娘，有什麼事？」阿祥很客氣地問。

我暗暗祈禱不要專程送餐後小點心上樓，拜託拜託……

「年輕人，要叫小姐嗎？」老婆婆輕聲地問。

「啊？這種地方也可以……叫小姐？」阿祥訝異。

我震驚到無法說出任何一個字。

「顧客至上，只要你們想叫，老闆娘自然就會幫你們叫到。」

老闆娘咪咪笑著。

「……不用了謝謝。」我嘴上笑笑，心中怕得要死。

「買一送一喔。」老婆婆笑得眼睛都瞇成了一條線。

我在發抖。

我的老二……也在發抖！

07

叫雞？

別說在這種鬼地方叫的雞，能有什麼好雞，來的一定是恐怖的怪物！

「不，不要。」我斷然拒絕：「我們走了一天的山路，很累了。」

「可是……」阿祥像是中邪似地看著我，吞吞吐吐：「我還不累耶。」

阿祥這個王八蛋絕對是精蟲衝腦了。

「不要跟婆婆不好意思啦，婆婆是過來人啊。」老婆婆裝出和藹可親的樣子，笑道：「這雞呢，是不叫白不叫，人生就是什麼都要試一下，對不對？年輕人做一下再睡覺，會睡得更好喔。」

「大明！」阿祥轉頭對我大叫。

「衝三小！」我大驚。

阿祥壓低聲音，嚴肅地握起拳頭：「人生就是不停的……戰鬥！」

干戰鬥個屁事！

由於大便九把刀的讀者有很多白痴國中生，所以接下來發生的事，雖然是限制級中的限制級，但我盡量以輔導級的角度報導出來，希望大家理解。

毫無意外阿祥興致高昂地叫了一隻雞，我則在買一送一的大放送下，被迫給「請」了一隻雞。

在等小姐的時候，阿祥顯得非常興奮與緊張，我則處於遭天打雷劈的茫然。

「大明，你……你做過嗎？」阿祥開始用仰臥起坐暖身：「呼哈，呼哈……」

「……沒有。」我腦筋一片空白。

「那你有沒有正好帶保險套來爬山？」阿祥開始喘了。

「沒有那麼正好。」我失魂落魄。

「那小姐是不是都會自己準備保險套啊？我們跟她們買就好了，還是保險套的錢已經算在交易費裡面了啊？呼哈，呼哈……」阿祥的思緒已經興奮滿表。

「我不知道。」

「不過我沒戴過保險套耶，大明，你有戴過保險套打手槍嗎？」

「沒。」

「那等一下我們不會戴怎麼辦？會不會很糗啊？」

「我不知道。」我真的很不想鳥他。

「呼……天啊這真的是太神奇了，我們兩個的第一次竟然是在這種深山裡耶！」阿祥嘰嘰歪歪說個不停：「不但都是第一次，而且還在同一個房間，所以我們等一下要不要玩交換啊？哈哈哈我好怕我等一下的表現會輸給你喔！」

表現？

等一下我大概連硬起來都有困難吧。

「說眞的，第一次就獻給雞，會不會有點那個那個啊？」阿祥又開始胡思亂想了。

「哪個？」我其實不想理他。

「有點虧啊！拜託我們是第一次耶！第一次無論如何都很珍貴啊，我有想過要將第一次獻給良家婦女，但這麼多年來一直沒有良家婦女想認領我的第一次，唉，算了算了，就便宜了等一下叫的雞吧？」

「隨便。」我握緊口袋裡九把刀給我的錦囊。

此時有人咚咚咚敲門，身、心、靈跟老二通通都已準備好了的阿祥，閃電般衝去應門。

門外站了兩位……兩位……

「哇！都好正！」阿祥驚呼，趕緊請她們進來。

我差點昏了過去。

不過，電影跟電視劇裡那種常常演出「被嚇到就瞬間昏過去」的橋段其實很難發生。話說，如果真的能昏過去，也未嘗不是一件好事。

進門的兩隻雞，的的確確就是兩隻雞。

——巨大的人形雞。

明明就有雞頭、雞屁股、雞胸還有雞翅，卻離奇地同樣擁有人類的基本體態，認眞說起來，等一下我們要嫖的雞，就是貨眞價實的雞精了……不，是雞妖！

「帥哥，等一下我們誰跟誰啊？」左邊的那隻雞妖開口了。

不曉得在阿祥的眼中這兩隻雞到底是什麼模樣，只看得他兩眼發直，一臉深受感動的樣子。

我非常樂意將這兩隻雞都讓給阿祥一個人獨幹，但阿祥卻很有義氣地說——

「大明！給你先選！」

「……隨便。」

「反正我們等一下交換！」

「……加油。」

就這樣，我們一人上一隻雞，開始了莫名其妙的床上大戰。

不愧是養精蓄銳的第一次，很快阿祥就幹得那隻雞咕咕大叫。

我呢？我一點反應都沒有。

不管這隻雞妖怎麼磨蹭我，我的老二始終比棉花糖還軟，更重要的是，我也不打算硬，我甚至別過頭來不想跟這隻雞妖的視線接觸。

「帥哥？你不喜歡我這一款的嗎？」壓在我身上的雞妖發出一股濃濃的雞腥

味，在我耳邊吐出的聲音竟頗爲失望。

「不，不是。」我強自鎮定：「我只是……第一次太緊張了。」

「沒關係，嘻嘻。」雞妖用雞翅拍開了我的兩腿：「姊姊幫你。」啊？對不起，寫著寫著好像不由自主寫得有點太超過了，所以接下來那隻雞怎麼幫我的，我就不寫了，勉強維持這篇報導文學之於輔導級的格調。

總之我嘴巴說不要，老二卻很誠實，當它可恥地硬起來之後，我就開始幹這隻雞。

雞一直叫，我則瀕臨精神毀滅的邊緣。

我越是覺得恥辱，就幹得越是瘋狂。

爲什麼平平是幹妖，爲什麼《聊齋誌異》裡書生幹的都是狐仙，我幹的卻是雞呢？

爲什麼寧采臣幹的是美若天仙的女鬼小倩，我幹的卻是雞呢？

這是我的第一次。

爲了不被發現我早早脫離了魔神仔的幻境，我寶貴的第一次，就獻給了……

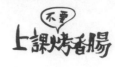

「對不起，請問妳叫什麼名字？」我氣急敗壞地亂幹一通。

「我叫……小妞妞，咕咕咕咕！！」這隻叫小妞妞的雞妖被我幹得鬼哭神號，張開雞翅不停抖動。

我越幹越度爛，越幹越氣，越氣就越猛。

而阿祥受到我的影響，也開始發出勇猛的嚎叫，自以爲在跟我比賽似地。

幹完了小妞妞後，就跟阿祥交換。

於是我不那麼寶貴的第二次就獻給了那個叫小甜甜的雞妖。

不管是人是雞是妖，總之射了就是射了，同樣都是筋疲力竭。

阿祥爽快地付了錢，送走了小妞妞與小甜甜，我們只剩下勉強爬回床上的體力。

「大明，這一趟眞是不虛此行啊。」阿祥氣喘吁吁。

「……不要跟我說話。」我看著被黑藤爬滿的破爛天花板。

「沒想到我們的第一次就留在這深山之中了，而且還是跟這樣的美女……」

「不要跟我說話。」我以後要怎麼跟別人聊我的第一次？幹雞？

「啊！我們剛剛忘了跟她們要紅包了！」

「不要跟我說話。」

「啊！我們剛剛都忘了跟她們要保險套戴了耶！」

「……」

罷了。

除了難堪的回憶，我想人跟雜妖之間應該沒有可以互相傳染的病。

爲了避免被妖怪破門突襲，我不敢睡，用力握著九把刀給我的錦囊，警戒地瞪著天花板。

聽著阿祥那頭傳來充滿幸福與安詳的鼾聲，射了兩次的我終究還是迷迷糊糊地睡著了……

08

一早醒來，什麼也沒變。

沒有我預期的那種……迷途客一早醒來驚覺自己坐在荒山野嶺之中，發現嘴裡都是砂土雜草的畫面。只是燦爛的陽光透進了這破敗傾頹的旅舍，而阿祥早就醒來，慵懶地躺在床上玩相機。

「走吧，阿祥，我們快點趕路了！」我定了定神，從地上撈起背包就要走。

「走？外面下那麼大的雨耶！」阿祥難以置信地看著我。

「下大雨？」我看著破碎的玻璃窗外，是無敵燦爛的大太陽啊。

阿祥的意識還在魔神仔的蒙蔽之下，沒有隨著一覺醒來就比較清醒。

「我剛剛醒來已經先去樓下吃過早餐了，那老闆娘很親切跟我抬槓啊，她說既然我們付足了一個禮拜的錢，就不急著走，等雨停了再趕路啊。」

「那……」我震驚不已。

「既然你說過，那個寫信給九把刀的網友還是讀者說，大蛇祭會等到九把刀到的時候才開始舉行，所以我就跟老闆娘說我們就住到雨停囉！」阿祥兩手一攤：「反正又不急。」

「幹……幹！」我快暴氣了。

「你快下樓吃早餐吧，吃完早餐我們再一起去泡溫泉哈哈哈！悠閒的咧！」

現在是什麼情況？

那個魔神仔打算繼續困住我們嗎？

我該不管三七二十一就硬拉阿祥走嗎？

按照常理判斷，比起晚上，大白天魔神仔的法力還是妖力應該沒有那麼厲害才對，是不是應該立刻馬上right now拉著阿祥衝出這間妖氣沖天的紅山大旅舍！

正當我這麼想的時候，我聽到敲門的聲音。

「年輕人，早啊！」

門打開，臉色青青的老婆婆走了進來，屁股還甩著我無法不注意的怪物尾巴，而她的手裡還拿著一盤我拒絕敘述的爛鳥東西——無庸置疑，是我的早餐。

「老闆娘早。」我臉色鐵青地接過她手中的盤子。

「外面雨那麼大，我看今天還是別趕路了。」老婆婆笑得很詭異：「多留一天，陪陪婆婆嘛。」

「嗯，我聽阿祥說了。」我的臉色一定很難看。

「我說這雨那麼大，一時半刻是停不了的，說不定明天還得繼續下。」

「依老闆娘看，這雨打算下幾天？」我壓抑自己不要失控。

「依照我在這裡幾十年的老經驗，這雨劈里啪啦的，恐怕還得再下個六天吧？」老婆婆悠悠說道。

「……」我倒抽一口涼氣。

話中之意，是眞的要囚禁我們整整七天就是了？

「不過你們別擔心，在婆婆這裡你們可以盡情休息，想睡就睡，餓了就吃東西，不餓就去泡溫泉，到了晚上啊……婆婆再幫你們安排漂亮的小姐喔。」

「昨天的讚！」阿祥插嘴，在床上豎起大拇指。

那個白痴單細胞，完全不理會那些小姐怎麼call來深山賣春如此可疑的點。

「那麼婆婆今天晚上再叫更漂亮的小姐過來？」老婆婆得意地甩著尾巴。

「好啊好啊！」阿祥笑得闔不攏嘴。

我瞪著阿祥，瞪著手中那盤超不健康的爛貨早餐，但不敢看老婆婆。

我很想握緊拳頭偷偷宣洩我的憤怒，但我只是可恥地擠出僵硬的笑容。

雖然是陽光超大的大白天，但我還是沒有當面跟魔神仔撕破臉的勇氣，也沒有辦法真的丟下阿祥獨自一個人逃走。

等老婆婆走後，再跟阿祥攤牌好好討論？不，那個白痴完全被幻覺迷惑住了，不可能聽進我的話，萬一他跑去向魔神仔老婆婆告狀的話，我就死得不能再死。

於是我默默地吞掉了讓我頭暈目眩的那盤早餐，默默地跟阿祥去樓下的爛泥巴裡洗澡，然後默默地去廁所拉肚子……那些大便的氣味還比我吃下去的那些爛東西還要正常得多。

接著呢？

當然是默默地吃午餐，默默地吃晚餐，默默地又泡了一次溫泉。

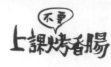

到了睡前，又默默地接受了老婆婆安排的買一送一叫雞服務。

喔不！

不好意思我說錯了，不是叫雞，今天晚上我們叫的是……

「帥哥，今晚我們誰跟誰啊？」

第二晚站在門外的，是兩頭用雙腳站立的山豬……還是山豬。

請問我是在吉野家嗎？爲什麼昨天加今天共來了雞豬雙寶呢？

「大明！今天輪到我先選，但等一下還是交換喔！」阿祥色迷迷地說。

「……隨便。」我放棄抵抗了。

於是我沒什麼好寶貴的第三次跟第四次，就一股腦射給了兩頭山豬。

□

第三天，據被鬼遮眼的阿祥說，外面還是傾盆大雨下不停，於是我們又無可奈何地留在紅山大旅舍一個晚上，接受魔神仔老婆婆的熱情招待。

力。

這天我怎麼過的，複製上一段再貼上即可，完全沒創意，只有無窮的忍耐

問題是，連續吃了三天又爛又腥的動物生屍，腸胃也是有自尊心的，它們完全沒有打算適應那麼爛的食物，我感覺到我的身體極爲虛弱，一直都想吐，屁眼也因爲一直拉肚子拉到快抽筋，產生灼熱的刺痛感。

我心想，眞的在這個鬼地方再待上四天，我很可能會因爲營養不良提前掛掉，如果不趁還有一點體力時逃出這裡的話，就等於我刻意用拉肚子自殺。

正當我認眞思索明天一早是否該把阿祥丟下、自己逃走時，我們叫的「小姐」又上門了。

這一次靠在門邊搔首弄姿的，是兩棵樹。

樹……

樹……

我老闆大便九把刀曾經大言不慚：「我買過車子，買過房子，但這輩子我買過最貴的東西，是夢想。」

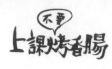

現在，我終於也有自己的名言：「我幹過雞，幹過山豬，但這輩子我幹過最瞎的東西，是樹。」

我腦袋一片宇宙大的空白。

事到如今，船撞橋頭，我不是不願意幹樹，而是我完全不曉得要怎麼幹樹，也完全無法想像我要如何發揮想像力的極限，去對樹產生最低程度的淫慾！

「天啊，在這種深山裡怎麼有辦法叫到這種林志玲等級的小姐啊？」阿祥呆呆地看著那兩棵樹，又看了看我：「大明，今晚換你先選……」

此時，我笑了：「然後交換。」

是的，你沒看錯，我竟然笑了。

我忽然明白，阿祥這種自始至終都被幻覺蒙蔽了的笨蛋，才是最幸福的人。

當我保持絕對的清醒去面對魔神仔布置的噁爛食物時，阿祥則傻呼呼地大快朵頤。

當我在爛泥巴裡將皮膚抓得又紅又腫時，阿祥笑嘻嘻地將大把爛泥淋在頭上大呼暢快。

當我憤怒地抽插雞豬雙寶時，阿祥爽歪歪地內射在他自以爲的絕世美女體內。

當我爲保持清醒感到慶幸時，阿祥才是眞正因沉浸在美好幻境中，得到了百分之百的快樂。而我，則因爲神智清醒體驗到了百分之一百萬的狼狽與痛苦。

我笑了。

原來堅持看到眞相的人，才是最愚蠢的笨蛋。

「等等，兩位小姐不好意思，我們準備一下。」我將門關上。

「啊？你要準備什麼？」阿祥不解，他已經全身都硬了。

「就等等。」

我要做，全世界人類都在做的一件事。

我將一直放在口袋裡的九把刀錦囊拿出，放進背包裡，閉上眼睛，深呼吸。

出於數字上的直覺，我從一數到一百，再慢慢睜開眼睛。

一直破破爛爛的房間，又回到了我第一眼見到的簡單乾淨的模樣。

久散不去的腐爛氣味不見了，一點一滴都沒留在鼻孔裡。

「久等了。」我主動打開門。

站在門外等候的，果然是俏麗又可愛的兩位風騷小姐。

雖然是樹，是樹妖，但還眞是婀娜多姿的樹妖啊！

我硬了。

於是接下來該發生什麼事，就自然而然讓它發生了。

雖然心知肚明我幹的是樹，但那又怎樣呢？我甚至不知道我正忙碌的老二到底在抽插哪一個樹洞，可那又如何呢？我只想老老實實地享用這虛幻的一切。

愉快地換手後，又是一輪猛攻，我看著壓在我身上笑吟吟的美女，那風情萬種的媚態，不禁大悔前兩天晚上錯過了兩場美好性愛。

阿祥跟我呼呼大睡到隔天早上。

醒來，旅館外面是淅瀝嘩啦的大雨。

我大步下樓，開開心心地吃掉了絕對是由蚯蚓和青蛙組成的超不營養早餐，靠那又怎麼樣呢？放進我嘴巴裡的滋味就是那麼甜美，我的腸胃也就一點反抗都沒有，所以我灼熱的屁眼也就得以好好休養生息。

縱使知道泡的是攪和了枯葉與污水的爛泥巴，但幻覺裡熱熱的溫泉讓我四肢百骸都舒暢了……這才是重點，而這個重點跟吃微波食物一樣，明知道不健康還是照吃不誤。

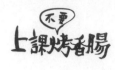

而當天晚上，我完全不想知道我們叫的小姐是哪一種亂七八糟的妖怪，只要門口站的是美女，叫進來幹就對了。快使用大老二！哼哼哈兮！快使用大老二！哼哼哈兮！

第四天過了。第五天過了。第六天過了。終於第七天也過了。

雨停了。

別說阿祥戀戀不捨，就連知道幻覺眞相的我也捨不得離開。

而就當我們要告別紅山大旅舍的時候……

09

窗外一片風和日麗，是時候踏上未完的旅程了。

收拾好背包，愉快地吃完最後一頓用料不明的早餐，再一邊打嗝一邊泡了半小時的溫泉後，阿祥跟我揹起行囊走到櫃檯，向招待我們七天的老婆婆道別，人的記憶力和適應力是不相上下的奇怪，此時的我已幾乎忘了這一切只是妖怪搞出來的海市蜃樓，還笑嘻嘻地跟老婆婆鞠躬道謝。

「謝謝老闆娘啊，這幾天真是太愉快了！」連幹七夜的阿祥笑得很開懷：「下次有機會一定還會再來的，下次來的時候至少要住整個夏天啊！」

老婆婆笑笑地摸摸阿祥的頭，慈祥地點點頭。

「那我們就繼續趕路了，謝謝老闆娘這幾天的招待。」我也笑得闔不攏嘴：「下次經過一定還會再來叨擾。」

老婆婆看著我，眼睛卻奇怪地眨了眨。

在我還在思考老婆婆意義不明的眨眼意思時，阿祥忽然坐倒在地，呼呼大睡起來。這個突變讓我瞬間想起了自己的立場——我還沒脫離這個魔神仔結界！

「你下次經過，眞的還會來這裡休息嗎？」老婆婆怪聲怪氣地說，面孔模糊起來。

並不是我的眼睛花了，而是老婆婆的臉確實糊了開來，不僅五官難辨像一坨正在重塑的黏土，原本很矮小的身形更慢慢扭曲起來，以奇怪的骨骼重生方式喀喀喀拔高。

只一下子，老婆婆就不再是慈眉善目的老婆婆了。

一條不曉得該長在哪種動物身上的獸尾，從這個「魔神仔」的屁股上迸了出

來，而魔神仔的臉並不是我所知道的任何動物的變形，四肢也只能說是野獸的形態，卻講不出是哪一種野獸，甚至四條腿長得都不大一樣，好像是被奇特力量硬拼起來的無名怪獸，恐怖絕倫！

我大駭，嚇得跌在地上，褲襠間熱了起來。

？

「幹……幹三小！」我的後腦全麻了。

「我問你，你下次經過，真的還會來這裡休息嗎？」魔神仔的聲音忽大忽小。

四周的景色，不知不覺從一間乾淨的老舊旅舍，變成了黏著在荒郊野外的斷垣殘壁，而我正坐在一條粗大的彎曲樹根上，背脊頂著一個塞滿了樹葉的破馬桶。

看樣子，魔神仔終究是識破了我，到了翻臉攤牌的時候。

按照爬山系列的鬼故事最終結局，只有兩種。

第一種，就是某某旅者被搜救隊發現的時候，旅者傻乎乎坐在地上吃土吃泥巴，被扛下山後抓去收驚，收了幾天在山上迷了路的魂才回來。

第二種就超慘了……只有一句語氣幽幽的經典結尾詞：「從此以後，再也沒有人看見過他了……」

面對魔神仔的咄咄逼人，很顯然糊里糊塗的阿祥就是第一種白痴結局的模範生，而我呢，恐怕就是第二種恐怖結局的範本了啊！

「我問你！你還會再來嗎！」魔神仔的身形急速膨脹。

魔神仔的臉孔完全不是人的樣子，一下子沒有眼珠，等一下又迸出七、八隻眼睛，嘴巴一下子開在頭頂上，忽然又跑到脖子上張嘴，完全就是變形蟲。

「不要！不要過來！」我大叫。

出於生猛的本能，我的左手直覺地插進背包拉鍊縫裡，用最快的速度掏出……爛人九把刀交給我的第二個錦囊。雖然不知道錦囊裡裝了什麼寶貝，我還是將錦囊緊緊握在手上，高舉過額，不停大叫。

「……！！」魔神仔瞬間停止恐怖的變形，還往後大退了好幾步。

錦囊有效！

機不可失，我想丟下阿祥逃跑，但腳不聽話，只好繼續大吼大叫。

「不要過來！」

「！！！！！」

魔神仔沒有繼續逼近，我也沒能逃跑，一妖一人就這麼亂七八糟地對峙下去。慢慢地，奇形怪狀的魔神仔又變回了老婆婆的模樣，不過這次的變形沒有完全，有時還會隱隱顯露出非人的型態。

或許是感受到了魔神仔人形化的善意，我總算是回復了冷靜。

「我又沒對妳怎樣！妳到底要幹嘛啦！」我很不爽，但兩腿還是無力。

歪了歪頭，甩了甩尾巴，魔神仔陰惻惻地說：「我問你還會不會過來，就是跟給你這個錦囊的人有關，你告訴我，給你錦囊的人到底是誰？」

「幹妳管我！」我拚命晃著錦囊。

「……」魔神仔老婆婆像是努力壓抑住什麼，瞪著我說：「那至少告訴我，錦囊裡裝的到底是什麼？」

錦囊裡裝了什麼？

我還眞不知道九把刀給我的錦囊裡裝了什麼，但爲什麼感覺像是懼怕錦囊的魔神仔，也不知道錦囊裡裝了什麼東西呢？

「那……」我承認我很好奇，不過討價還價也是基本：「那我打開來看，不過妳要保證妳不會對我怎樣！」

「保證什麼？」魔神仔老婆婆瞇起眼睛，狠狠地說：「我大可以先吃了你，然後再打開錦囊看，不也一樣？」

聽起來很有道理，不過身經百戰的我沒有選擇嚇到拉屎，而是……靈光一現！

不。

不是這樣。

「好啊！來啊！快啊！快來吃我啊！」

我的雙腿忽然充滿了力量，霍然站起。

魔神仔老婆婆面容一白。

我握著那坨軟軟的錦囊，大步走向魔神仔老婆婆，邊走邊叫：「來啊！」

魔神仔老婆婆嚇得不斷後退，身形越縮越小：「別過來！別……別過來！」

情勢大逆轉，不知道爲什麼佔上風的我氣勢更盛，到後來幾乎將錦囊壓在魔神仔的頭上，而步步敗退的魔神仔老婆婆最後縮到只剩下一個三歲小孩的身高，還給我嚇到哭了出來。

「哭三小啦！」我太氣了，眞的是太氣了：「剛剛給我大變身，最後還想吃我！現在給我哭！哭屁啊！」

「對不起……對不起……」魔神仔老婆婆哭得很崩潰：「請快點把這東西拿走……不要嚇我……不然我辛辛苦苦的修行會化爲烏有的……」

「有沒有想過我剛剛的感受啊！妳是妖怪耶！我是人耶！到底是誰嚇誰啊！啊！」

「對不起，對不起……剛剛我也不是很想吃你，只是……」

「還哭！」

弄擰了就不妙了，見好就收也是我的強項，趁著佔上風趕快收手，等一下萬一一不留神屈居下風的時候還可以用嘴巴討點人情回來。

我謹愼地後退一小步，將錦囊慢慢隨著手放下。

面對魔神仔這種傳說中的山間怪物，我的籌碼只有區區一個我不知道裝了什麼的錦囊，現在佔上風只是一時幸運，萬萬不可托大。爲了避免等一下情勢被逆轉，我決定要好好調整一下自己的態度。

「好了好了，其實我們也無冤無仇，只要妳不找我麻煩，我就不那個那個。」我想辦法裝大器，但面對魔神仔，聲音還是有些發抖：「其實這個錦囊的主人大有來頭，我會來這裡，跟錦囊主人的命令脫不了關係。」這也是實話。

「……」縮小化了的魔神仔喘著氣。

「從現在開始，我……我問妳的每一個問題，妳都要老老實實回答。」我晃晃捏在拳頭裡的錦囊，咬著牙說：「好好回答的話，我就不那個那個，知道嗎？」

「知道。」魔神仔的表情驚疑不定。

「妳是傳說中的魔神仔，對吧？」我找了一塊大石頭坐下。

「……是。」

「那到底什麼是魔神仔啊?!」

「魔神仔就是……我也不是很清楚。」

「三小不是很清楚?妳剛剛不是承認了妳就是魔神仔嗎!怎麼還會不清楚!」

「我也不曉得自己是什麼東西……」魔神仔感覺起來有點悲傷。

10

接下來就是取材賺錢的時間了。

原來所謂的魔神仔，是一種還眞的不知道是什麼東西的東西。

打從魔神仔發現自己已經存在這個世界上的時候，他，或她，或牠……或它，就有了稀薄如煙的思想，也具有了一些粗糙不明的形體。

魔神仔不是狐狸精，因爲狐狸精是由狐狸所變。

魔神仔不是蛇精，因爲蛇精是由蛇慢慢修煉千百年所變。

當然了，魔神仔也不是樹妖，因爲樹妖是由千年古木修煉所化。

魔神仔並不是由原來就有固定形體的動物或植物所修煉成妖成仙，而是莫名其妙就有了形體。根據魔神仔本人的證詞，它也許是由山間的靈氣所變，這靈氣混雜著霧氣、流水、陽光、土肥、樹香等等略具靈異的元素所構成，也許是其中之一，也許是通通都有，更有可能通通都不是，而是來自於一片虛無的混沌，反正不管什麼東西放久了就會有靈，就連混沌也是吧？總之等到魔神仔忽然有了自己的意識時，它已具備了基本的神通，卻猜不透自己所由何來。

不過魔神仔沒有初級的形態，也就沒有型態的侷限，它能幻化的物事比其他精怪都要包羅萬象，但沒有型態，也意味著魔神仔對型態的渴望——渴望知道自己是什麼，來自何物；知其源而不可得時，只好退而求其次，就是至少渴望變成個什麼——而悲情的魔神仔到底想變成什麼呢？

跟所有的精怪一樣，魔神仔也是想變成地球上的終極型態，萬物之靈，人。

「白痴。」我毫不客氣：「變成人有什麼好？」

「我也不知道，但這裡的大家都想變成人，所以這個願望肯定是不會錯的。」魔神仔毫無困惑。

「大家吃屎妳就吃屎啊？」

「大家吃屎，那麼吃屎就一定不會有錯。」魔神仔完全不像開玩笑，正經八百地說：「所以大家吃屎，我就吃屎，而且拚命吃屎。」

故事繼續。

越是深山，就越產妖怪，不過越是深山，就代表越少人來。

既然深山裡的精怪們都想修煉成人，所以就開始偷偷研究那些會到深山裡來的人類，也就是登山客。一開始當然只是默默觀察，觀察久了就會模仿，有些神通高超的妖怪就想辦法變成人形，裝模作樣地靠近眞正的人，與人互動，學習關於人的一切，學久了，也就越來越像人。

不過像是一回事，終究還是非人。

所以有時候要採取一些霹靂手段，比如幻化成婀娜多姿的美女，誘惑登山客與其相幹，登山客充滿生命力的精液一射入妖怪的體內，就等於注入人氣的頂級精華，大大裨益精怪的修行。

不過山裡怪事多，登山客遇到美女爭相求幹，一定會提高警覺，逃之夭夭，所以幻化能力特別高強的魔神仔，就負責將廢墟幻化成深藏山間的旅舍，戮力將一切合理化。而疲倦的登山客一旦中了幻術，就會傻乎乎地住進根本不可能存在於山裡的旅舍，有房間，有溫泉，有大餐，有床，當然了，晚上叫小姐也就勉勉強強有個粗糙的因果。

根據魔神仔單方面對其有利的證詞所稱，被魔神仔迷惑，不見得是壞事。其實很多登山客都是迷路好幾天了，又累又倦，隨時都會昏死過去，幸虧住進了魔神仔搭建的虛幻旅舍，才得以補充營養，充分休息。

「吃那種蚯蚓死蛙泥巴湯，也叫營養？」我完全不能認同。

「你想想，我們哪來眞正的大餐可以招待旅人？沒有的東西無法無中生有。」魔神仔振振有詞地說：「所以我們只能將手邊勉強能吃的東西，變成你們眼中的大餐，讓你們吃下肚，補充基本的營養。不然，直接把蚯蚓拿給你吃，你眞的會吃嗎？」

「那倒是。」我漲紅著臉：「誰要吃那種爛東西啊？」

「是啊，但爲了讓迷路的旅人活久一點，我們也只能凡事盡量，給你們吃，讓你們睡，還得讓你們好好洗澡。」魔神仔想之當然地說：「到了晚上輪到你們貢獻一點精氣滋補一下我們，幫助我們早點修煉成人，是不是也很應該？」

「……勉強說得過去。」我倒是無法辯駁，禮尚往來嘛。

「如果撐得到讓你們被其他的登山客或搜救隊找到，你們當然會是大夢初醒的感覺，但如果撐不到那個時候你們就營養不良死掉，我們就會乾脆把你們吃掉，反正死了也就是死了，不如貢獻最後一股人氣讓我們修煉修煉，吃形補形，以形養形嘛。」

「妳倒是說得輕鬆自然啊幹。」

「我只是實話實說。」

原來山裡常有人失蹤，找也找不到屍體，真相就是被吃乾抹淨了。

生於天地，被吃於天地，也沒什麼大不了的其實。

「可是我們又沒有迷路，沒事幹嘛迷惑我們？」我不解。

「哎呀，就算旅人沒有迷路，我們還是想搞修煉，年輕男子的精氣實在是太補了，就連我也向你們採集了兩次……」

啊，原來眼前這個魔神仔還是我的砲友之一，真是失敬失敬……不！

「王八蛋！我還幹過妳！」我失控：「竟然還幹了兩次！」

「你眞是精力旺盛啊。」魔神仔一本正經：「處男的精氣眞是補中之補。」

「……」我又羞又怒，一時之間不知道該怎麼接話。

「不過你們怎麼會到這個山區？這裡平常非常少人進來。」

「我有一份朋友給的地圖，這地圖上面還標了你們旅舍的位置。」

「你們拿著地圖，專程造訪我們旅舍？」

「不，不是那樣啦。」我聳了聳肩，很自然地說出我們此行的目的：「我們要去大蛇祭，這裡只是好死不死路過。」

「大蛇祭啊……」

「聽過嗎？」

「嗯啊……那蛇很大喔！」魔神仔睜大眼睛：「眞的很大喔！」

大？能有多大？

「反正不關妳的事。」

「那……你可以打開錦囊，讓我看看裡面裝了什麼東西嗎？」魔神仔覬覦著我手中的錦囊，語氣又怕又羨慕。

「休想。」我搖搖頭，堅定地說：「讓妳知道什麼東西剋妳剋得死死的，說不定妳就知道破解的方法，然後我就會被妳吃掉。哼，想都別想。」

「那，至少可以告訴我，錦囊的主人是一個什麼樣的人嗎？」魔神仔怯生生地說，那神態接近哀求。

「一個大爛人啦！」我極度不屑。

「……好希望他本人可以來我們旅舍一趟喔，我們一定會熱情招待他，一入了夜，他與眾不同的人氣一定會帶來很棒的滋補。」

「他超爛的，爛透了，滋補個大頭鬼。」

「如果可能的話，下次你與他碰面，能邀他來我們的旅舍住幾晚嗎？」

「只要那個爛人一口氣付我十年薪水，妳要賞給他十年的幻覺、蒐集他十年的臭精液，我都無所謂啦！」

就這樣，在奇怪的對峙關係底下，我跟魔神仔又亂聊了好一陣子。

聊狐狸精，聊樹妖，聊山裡的種種傳說……奇萊山神祕失蹤事件啦、太極峽谷的經典靈異照片啦、大霸尖山的悲慘山難啦等等。

說起來眞好笑，其實魔神仔——或者說我眼前的這一位魔神仔，經年累月只管著自己跟一幫友好妖怪的事，對許許多多山野怪譚並不知情。

也許那些傳說只存在人類耳語之間，並沒有眞正發生過。

更也許，是山裡的怪事眞的太多太多，多到連妖怪自己也無法清楚所有的事。

沒錯，說到我們人，即使我們有報紙有電視有網路，也沒辦法了解發生在我們周遭的一切事，怎麼能反過來期待妖怪就一定了解所有發生在妖怪世界裡的一切事呢？說不定過了這座山，又是另一座山的規矩，那裡的魔神仔跟這裡的魔神仔也有著不同的思想與作法。

「說得好有道理。」魔神仔頻頻點頭：「難怪這裡的大家都想變成人，人眞的好聰明啊。」

「不是人聰明，是我。」我不忘強調：「是我聰明。」

最後我抓起背包要走，魔神仔還戀戀不捨地說，她從來沒有這樣跟人類開

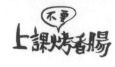

誠布公說話過，希望我以後能夠常常來找她聊天，不然品嚐過與人類聊天滋味的她，一定會很寂寞很寂寞。

我說，不要。

阿祥醒了，但他所見到的並不是魔神仔，而是又變成人形了的和藹可親老婆婆，還笑咪咪揮手向我們說再見。這是我的要求。

表面上，跟妖怪做愛過這種糗事，我一個人承受就行了，阿祥不必有痛苦扭曲的記憶。實際上，我更不想被任何人知道我跟妖怪做愛過，包括阿祥，所以阿祥單純保存我們在深山裡連嫖七夜漂亮小姐的回憶，也就可以了。

「謝謝老闆娘！再見！一定再見！」阿祥熱烈揮手。

「嗯嗯，掰掰啦。」我故作輕鬆地揮別我的妖怪砲友。

在魔神仔的道別下，兩個已不是處男的男子漢，繼續踏上前往大蛇祭的茫茫旅程。

走著走著，不禁有些感動。

想一想，我們這些所謂的人類，每天花在抱怨與煩躁的時間多到完全不可能為單純的活著而開心，更不可能「以身為人類為傲」，至少我就沒有聽過有人跟我講說：「我覺得我是人，好棒喔好開心喔！」這類不知所謂的話。

但這些擁有高強神通的古靈精怪，明明比人還要厲害，卻眼巴巴地想變成我們其中之一，修煉百年千年原來不是想成妖化仙，而是拚了命想變成平凡無奇的「人」，莫名其妙教人真有點感動。

或許吧？

或許真如魔神仔所說的，既然所有的妖怪都想修煉成人，一定代表「成為人」是一件很酷很屌的願望，只是到底為什麼「成為人」很酷很屌我還不知道。

但不知道，不代表不會感動。

既然我已經是這些妖怪修煉千年的願望本身，是不是應該比現在更開心許多？

我不禁笑了出來。

這恐怕是我有生以來，第一次以身為人類為傲流露出的笑容呢！

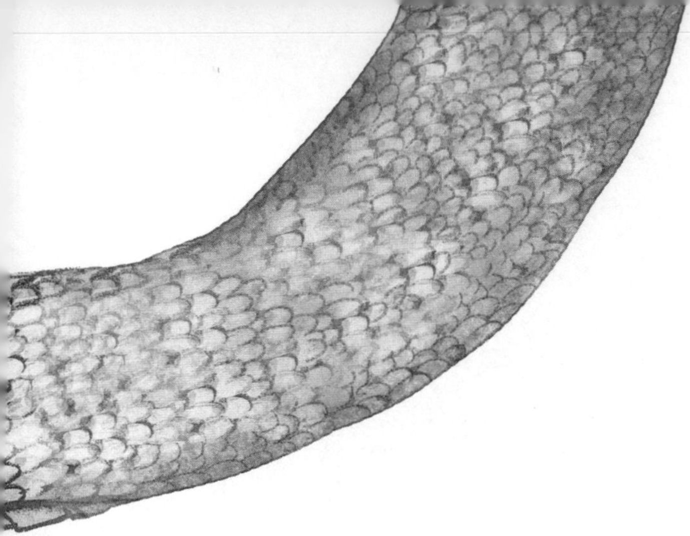

CHAPTER 3
好多蛋的大蛇祭

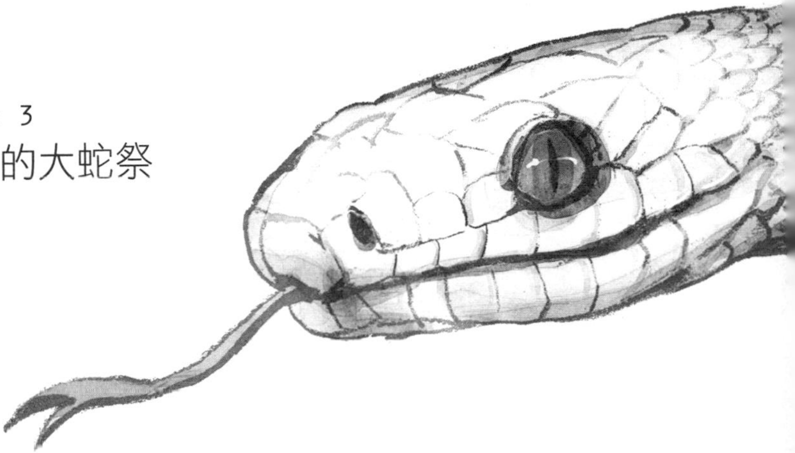

01

在爛爛的陽光下拜別紅山大旅舍，我們沿著綁著紅布的大樹一路走去。

連射了七天，阿祥的心情很好，一路走走停停不斷拍照，拍山拍花拍草拍鳥拍樹拍松鼠拍雲拍影子，什麼風吹草動阿祥都想按快門。

我眞的搞不懂這種買了一台單眼相機就自以爲是Discovery攝影師的人的想法，比起來，那些在車展狂拍showgirl若隱若現激突的阿宅心態，我還覺得比較健康。

走到山谷底，還眞讓我們抵達了那個神祕部落。

說它是個神祕部落，其實眞他媽的一點也不神祕，完全就是一個在花蓮隨處可見的小村莊，有看起來很像拷貝萊爾富的小雜貨店，有郵局，有一間冒充85度C的58度C，有一間派出所，有一間看起來破破爛爛的溫泉旅舍，還有原住民攤販在產業道路邊賣烤鳥蛋跟烤山豬肉……是的，明明就有一條偌大的產業道路開在村子旁邊，我光是站在路邊一分鐘，就有兩台砂石車從眼前飆過去。

王八蛋！開車可以到的地方，為什麼網友給的地圖要我們費神地翻山越嶺？

「根本就是莫名其妙嘛！」我忿忿不平地將手中的地圖揉成一團。

「看開點嘛，要是我們真的開車過來，就住不到紅山大旅舍了啊，要是我們住不到紅山大旅舍，我們就不會叫雞，更不會一連叫了七天的雞！這樣是不是很損失！」阿祥倒是完全不以為意：「所以命運自有安排啦哈哈。」

我看他真是逆來順受到變成真正的奴才性格了。

我們這兩個外地遊客來到這個村落，什麼也不幹，盡是東張西望，一下子就吸引到當地民眾的注意。有個看起來像是國中生模樣的小鬼頭朝我們衝過來，嘴裡嚷嚷：「你們是來參加大蛇祭的吧！刀大呢！刀大呢！我就是那個寫信給刀大的網友啦！刀大刀大刀大刀大刀大刀大！」

瞧他一副欣喜若狂、快要跑撞上我們的氣勢，我立刻潑了冷水：「九把刀沒空來，我們是他派來見識那個大蛇什麼的典禮的……工讀生。」

那個國中生緊急煞車，全身一震，崩潰大吼：「幹！為什麼！」

正當我想隨便安慰一下他時，那國中生超崩潰地用頭撞我肚子，大叫：「爲什麼！爲什麼刀大不自己來！爲什麼！爲什麼爲什麼爲什麼！爲什麼刀大不來！爲什麼獵命師出那麼慢我眞的好想看人蛇把刀大吃掉喔爲什麼爲什麼爲什麼！」他的頭一直撞一直撞，撞得我的肚子都快出現腹肌了。

眞的是草莓族，九把刀到底是有什麼了不起，他不來給大蛇吃，你是不會把大蛇帶去簽書會吞九把刀啊？白痴。

「好了，我們都到了，九把刀叫我把大蛇祭好好記錄下來，我們就速戰速決吧。」我說，不耐煩地把國中生的頭從我的肚子上拔出來。

靠，他竟然崩潰到整張臉都哭爆了。

「爲什麼！爲什麼刀大要一直用同樣的字佔滿畫面爲什麼爲什麼！第一次用斬鐵塡滿整頁我還覺得超熱血！第二次用就沒創意！第三次用就老梗！第四次第五次用就是沒品偷懶！爲什麼爲什麼爲什麼爲什麼爲什麼！爲什麼爲什麼爲什麼爲什麼爲什麼！爲什麼爲什麼爲什麼爲什麼爲什麼！爲什麼爲什麼爲什麼爲什麼爲什麼！爲什麼爲什麼爲什麼爲什麼爲什麼爲什麼！爲什麼爲什麼爲什麼爲什麼爲什

麼！爲什麼爲什麼爲什麼爲什麼爲什麼！爲什麼爲什麼爲什麼爲什麼爲什麼！爲什麼爲什麼爲什麼爲什麼爲什麼！爲什麼爲什麼爲什麼爲什麼爲什麼！爲什麼爲什麼爲什麼爲什麼爲什麼！爲什麼爲什麼爲什麼爲什麼爲什麼！爲什麼爲什麼爲什麼爲什麼爲什麼！爲什麼爲什麼爲什麼爲什麼爲什麼！爲什麼爲什麼爲什麼爲什麼爲什麼！爲什麼爲什麼爲什麼爲什麼爲什麼！爲什麼爲什麼爲什麼爲什麼爲什麼！爲什麼爲什麼爲什麼爲什麼爲什麼！爲什麼爲什麼爲什麼爲什麼爲什麼！爲什麼爲什麼爲什麼爲什麼爲什麼！爲什麼爲什麼爲什麼爲什麼爲什麼！爲什麼！」

「干我屁事啊。」我沒好氣地說。

「爲什麼刀大要放大字體混版面啊！」

國中生大崩潰，又把頭撞過來。

就在國中生忙著用頭狂撞我的肚子時，十幾個鄉民也圍了過來，對我們再三打量，看樣子大家都知道我們的來意了，這樣很好，省了很多解釋的麻煩。

幾個小時前才剛剛對付完魔神仔，區區一個崩潰的國中生實在很不夠看，我抓著國中生的脖子一擰，將他扔到一旁，笑笑地對圍觀的鄉民們說：「聽說大蛇祭要等到我們到了才開始舉行是吧？眞抱歉我們在山上迷了路，折騰了幾天，現在我們總算來了，這麼隆重的祭典就不要再拖了吧？」

「我要坐最近的位子喔，我要用超特寫把大蛇拍起來！」阿祥興致高昂。

圍觀的鄉民裡面有一個派出所警察，他嚼著檳榔說：「好啊，我先帶你們過去洗個澡，洗完澡之後，等天黑我們就可以開始了。」一手搭我的肩，一手勾著阿祥的脖子，想熱絡熱絡似地。

「我眞的好想看大蛇吃刀大喔！」國中生蹲在地上再接再厲崩潰大哭。

到底在亂說什麼啊？我幾乎要笑了出來。

02

我們在鄉民的簇擁下，來到了一間被青山綠水環抱的小旅舍。

這間旅舍小歸小，但規矩可是一點也不馬虎，一個彬彬有禮的櫃檯先生將一本看起來非常厚的資料推到我面前，另外還遞給我一本小冊子，封皮上印著「恐怖絕倫！超驚悚大蛇祭導覽！」字樣，附加一張看起來很假的大蛇圖。

「住宿前，請先詳細閱讀這份資料，讀完後請在上面簽個名。」櫃檯先生微笑：「謝謝您，祝福您，感恩！感恩！」

還眞是頭一次遇到住宿資料是一本電話簿厚度等級的瞎事，這旅館到底有什麼特殊之處還眞是不想了解，總之不可能比魔神仔假造出來的紅山大旅舍還要恐怖。我跟阿祥看也不看，直接翻到最後一頁，就在底下簽了名。

房間很普通，無須贅述的平庸陳設。

躺在硬邦邦的床上，我隨手翻了翻剛剛櫃檯先生給我的小冊子。

印刷還挺新的，內容不想細看，但就是一堆祭祀大蛇的流程，比如祭品要先剃光頭、沐浴淨身、食用豪華大餐之類的超蠢細節，以及關於大蛇在世界各地的種種傳說記載，圖案清一色由無敵拙劣的幼稚筆觸完成，可信度零。

這本小冊子，不禁讓我想起了小時候去班級遠足到了奇怪的小遊樂園，總有一個展區掛上「不可思議的世界奇幻人展」，號稱裡頭有外星人的屍體、海底怪魚的標本、紀錄了飛碟聲音的神祕錄音帶、長了頭髮的人石頭、有兩個頭的變種烏龜、大腳怪踩在泥巴上的腳印拓……我們小朋友趨之若鶩，瘋狂排隊買票擠進去。其結果可想而知，就是極其失望地走出展場，唯一的安慰，就是再花五十塊錢在出口處抱著一條又肥又冷的黃金蟒合照。

「嘖嘖嘖……這年頭，這種鄉下地方爲了行銷自己的地方特色，還眞是無所不用其極啊。」我嗤之以鼻，將小冊子扔在一邊。

「不過看起來眞有那麼一回事耶，不然就不會大費周章等我們到了才開始啊，說不定，可以拍到驚人的照片喔。」同樣躺在床上的阿祥津津有味地回顧著單眼相機裡的照片。

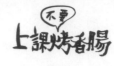

「別說什麼大蛇祭了，我看到時候連一條像樣的蛇都看不到。」

「哈哈別那麼說嘛，有看到就有看到，沒看到就沒看到啊！」

「什麼沒看到？好不容易才到了這裡，至少要給我看到一條大一點的蛇。」

「對了大明，今天晚上還要不要叫雞啊！」

「……你還叫不夠啊？」

我們在床上有一搭沒有搭地瞎聊，一股倦意襲上了眼皮，沉沉睡去。

不知道睡了多久，醒來時，我嚇了一大跳，因爲房間裡滿滿的都是人。這些鄉民裡有派出所警察、櫃檯先生、攤販老闆，當然還有那個寫信叫九把刀來的死國中生。大家都靜靜地看著我們，不曉得這種詭異的凝視已持續了多久，好像在演「咒怨」。

「你們怎麼跑進來的！」我大叫，叫得阿祥也整個驚醒了。

「因爲我有鑰匙。」櫃檯先生晃晃手中的鑰匙。

「這不是重點吧！」我怒氣騰騰：「你們怎麼可以隨便進我的房間！」

「因爲你簽了同意書啊，感恩！感恩！」櫃檯先生皺眉，翻開那一大本幾個小時前交給我們簽名的厚厚大本不知所謂的住宿資料，手指著其中一頁：「你看，這一條，本人欣然同意，如經過鄉民集體表決，三分之二同意，則任何鄉民都可以自由進出本人的房間。」

「……」我寒毛直豎，說不出話來。

這簡直是王八蛋嘛！

「好吧，既然我們簽了也就沒辦法了。」阿祥揉揉眼睛，打了一個長長的呵欠，看向我。

「肚子餓了吧，現在都已經晚上九點了。」一個坐在床邊的大嬸開口。

「？」身爲九把刀的靈感特助，我感到很不對勁。

「我肚子是餓了。」阿祥則毫無警覺。

一個老人點點頭，摳著眼角的褐斑說：「也該是吃東西的時候了，我們帶你們兩位到樓下的餐廳吃東西，吃，豪華大餐。」

「不用了，我們自己去樓下雜貨店買泡麵吃就可以了。」我趕緊起身。

「泡麵？」那個還穿著制服的派出所警察伸手按著我的肩膀：「吃，豪華大餐。」

不只那個警察大叔，坐在我床邊的所有鄉民全都用手按住我的身體。

看樣子，這場豪華大餐似乎是強制的。

03

我們在眾鄉民的包圍下，走到樓下看起來實在不怎麼樣的餐廳。一坐下，馬上就有很多道熱騰騰的菜從廚房端了出來，有蒸蛋、烤鳥蛋、水煮蛋、滷蛋、蛋花湯、皮蛋、鹹鴨蛋、烘蛋、蛋餅、蔥蛋、九層塔蛋、荷包蛋、炒蛋……挖靠，怎麼通通都是蛋？

「盡量吃，吃不夠，廚房還有。」那個該死的國中生咬牙切齒地說。

「我想這些絕對是夠了。」我拿起筷子，手指微微顫抖。太怪了，眞的是太怪了。

「可是……都是蛋耶。」阿祥總算也感覺到不對勁了。

我們默默吃著一堆蛋蛋蛋蛋，但這些鄉民並沒有加入飯局，全都站在桌子旁，瞪著我們跟滿桌的蛋搏鬥。這氣氛眞的是超詭異，沒吃幾口我就無法忍受。

「飽了。」我停下筷子。

櫃檯先生眉頭一皺，再度拿起手中厚厚的住宿資料，翻到其中一頁：「不行不行，根據你自己簽的第兩百零七條房客條款，你本人欣然同意，當有任何鄉民熱情邀請你吃飯的時候，你無條件同意趕赴飯局。又根據第兩百二十三條之二的規定，當飯局中經全體圍觀鄉民表決，有三分之二認爲你必須通通吃完所有的飯菜時，你便欣然同意吃完所有的飯菜，不得異議。感恩！感恩！」

此時，整間餐廳的鄉民通通舉手，豈止三分之二，根本就是全數通過。

「算了啦大明，簽都簽了啊。」阿祥無可奈何。

「那就大家一起吃吧？」我壓抑怒火，掃視周遭的鄉民：「不然我們兩個人要吃到什麼時候？」

鄉民慢慢地搖頭，完全不想理會我。

「算了啦，我就說簽都簽了嘛。」阿祥挾起一塊蔥蛋送進嘴裡。

阿祥就是這樣，每次在街上遇到假裝要你塡問卷的直銷工讀生，就忍不住簽了一堆奇怪的營養食品回家吃，內容大同小異的百科全書也買了四、五套，這種超容易被說服的爛個性不知道遇到什麼事才會改。

足足又吃了一個小時，我們總算將桌上的蛋全都掃光。

我超飽的，蛋的氣味從胃裡不斷翻湧而出，聞著自己打嗝的氣味我都快吐了。阿祥看起來也很撐，癱在椅子上動彈不得。

不過我知道事情還沒結束。

根據我剛剛隨便翻了翻的「恐怖絕倫！超驚悚大蛇祭導覽！」小冊子，白痴到極點、卻又讓人不寒而慄的模糊印象……

「接下來，該不會是要我們洗澡吧？」我盡量保持最後的平靜。

「是的，是我們這邊很有名的蛋浴。」櫃檯先生微笑。

阿祥一愣，狐疑地說：「蛋浴？」

「不洗可不可以？」我試著握拳，拳頭卻抖到無法握緊。

「根據……」櫃檯先生又開始翻住宿資料。

「靠！」我大聲打斷他的話：「我懂了，我了解了，我要報警！」

「報警？報警當然沒問題啦，你是中華民國的合法國民嘛。」那個派出所警察立刻指著腰間的警用手槍，說：「只要三分之二的鄉親同意，你就馬上可以跟我去派出所做筆錄啦！」

想之當然，沒有任何鄉民舉手。

「沒有的話，那就不能報警，去洗澡。」派出所警察伸手按住我的肩膀。

頃刻間同時有十幾個鄉民按著我的肩膀，那股力道不只壓住我的身體，也壓得我心情一沉，沉到了地獄的谷底。

難道這個由國中生提出、蠢不可及的大蛇祭，果眞會出現一條超級大蛇嗎！

「那隻蛇，很大……」那個死國中生按著我的頭，咧開嘴：「眞的很大很大喔！」

九把刀的第六感實在可怕，這趟旅行實在是，危機四伏啊！

04

一直以來，我都以爲恐怖漫畫家伊藤潤二筆下的古怪村莊、詭異莊園、充滿傳說與陰謀的小鎮，永遠只存在於幅員遼闊的日本、或是更大更奇怪的虛構國家，沒想到台灣這麼小，竟還是有如此詭譎充滿壓迫感的邊陲地帶——偏偏還讓我身陷其中。

有，危險。

就在我們即將被押到沐浴淨身的場地之前，我唯一能做的，就只有一件事。

「我想回房間拿個東西。」我開口。

「蛋浴什麼都不需要，該有的我們都準備好了。」

「有個東西我是非拿不可。」我很堅持：「如果不拿，我就絕對不走。」

鄉民面面相覷。

「大明，你想拿什麼啊？那麼急……」阿祥還在狀況外。

「幹你！就你！你立刻翻一下住宿資料！」我瞪著那個櫃檯先生：「看看有沒有一條規定寫，如果我要上樓拿個東西再去蛋浴，竟然還需要三分之二以上鄉民同意這種鬼話！」

櫃檯先生顯然熟讀了整本住宿資料，面有難色。

「沒有的話，我就要上樓拿東西！」這點我絕不退讓。

鄉民再度面面相覷。

「就讓他上樓拿吧，反正大家跟著他，他哪裡也跑不了。」不知道誰開的口。

於是我跟阿祥在眾鄉民的團團包圍下，再度回到了旅舍樓上。

在眾人不耐煩的注視下，我拿出了我的背包，伸手在裡頭亂掏亂摸。

當然了，我肯定是要拿出九把刀送給我的救急錦囊。錦囊在紅山大旅舍已經用掉了兩個，都收到神效，只剩下最後一個。現在自是再度派上用場的時候！

我將錦囊牢牢抓在手中，霍然起身，對著鄉民們大喊：「還不退下！」

看著威風凜凜的我，鄉民們完全呆住了。

「找死嗎？還不退下！」我氣勢爆發，光眼神就足以殺人：「退下！」

「……」鄉民們完全摸不著頭緒，表情十分茫然。

「退下！」我有點慌了，語氣更加兇狠。

「……」鄉民持續迷惘，連一旁的阿祥也一臉不解。

「仔細看好！還不給我滾！」我用刀揮舞手中錦囊，汗流浹背。

「白痴！」那個寫信給九把刀的死國中生對著我大叫。

我完全傻眼了。

怎麼可能？

前兩個錦囊連魔神仔的幻覺結界都可以穿破，甚至能夠反過來制伏魔神仔，第三個錦囊怎麼連這群無知無腦的鄉民都搞不定？

我愣愣看著手中的第三個錦囊——典型的九把刀惡作劇？

「拿到了就快走，蛋浴要認眞洗一段時間啊！」派出所警察沒好氣地抓著我的肩膀，同一時間十幾隻手也抓住我的身體各處，將我抓向房間門口。

腦中瞬間一片空白的我，加上腦中一直都很空白的阿祥，就這麼給帶到一間老舊的公共大澡堂。等我恢復意識的時候，我全身都被剝了個精光，衣褲全給扔在我們腳邊。

偌大的公共澡堂裡早就擠滿了鄉民，我看這個場面，大概是整座村落的鄉民都到齊了。現場完全沒有肅靜的氣氛，一片七嘴八舌的鬧烘烘，每個鄉民的手裡都捧著五顏六色的塑膠臉盆，臉盆裡裝的不是別的，是蛋。

雞蛋。

通通都是蛋。

「好酷喔！」阿祥赤裸裸地站在完全沒水的池子裡。

「阿祥……」我很不安很不安很不安，全身狂起雞皮疙瘩。

有必要做成這個樣子嗎？

有必要將兩個遊客當成蝦子剝光光嗎？

我在台灣耶，在文明與法治的台灣耶！

那個蠢不可及的大蛇祭……那個正發生在我身上的大蛇祭，難道，眞的會出現一條超級不合理的大蛇，把我跟阿祥生呑進肚嗎？

此時，一個穿著寫上「村長辦公室」競選背心的老人，拿著大聲公對著大家喊：「各位鄉親父老，多等了那麼多天，大家都很煩了，是不是？」

現場齊聲：「是！」

村長朗聲問：「那麼，贊成蛋浴立刻開始的鄉親，請舉手！」

豈止超過三分之二，根本全場鄉民都立刻高高舉手。

「蛋浴開始！」

不知道誰喊的第一聲，一顆蛋就稀里呼嚕飛到我的臉上，碎開，蛋液流出。

我還來不及慘叫，立刻就是成百上千顆蛋往阿祥跟我的身上砸呼而來，如果由九把刀寫一段際遇的話，他一定會無恥地用一千個「咚咚咚」字塞滿整個畫面騙版稅，但我在現場，我還眞的完全無法形容被上千顆雞蛋轟砸全身的感覺。

「爽啦！」

「死都市人！爛天龍人！」

「看我的伸卡球！阿答阿答阿答！」

「中！中！又中！躲也沒用啦！」

「媽！我剛剛打中他的小雞雞了耶！」

「我也要打他的小雞雞！」

蛋如雨下，我被砸到無法睜開眼睛，忽地被砸到睪丸，讓我痛到整個人都彎曲了，爲了表達我的痛苦，我象徵性張口慘叫幾聲，立刻有好幾枚雞蛋衝進我的口中，逼得我表演一邊嘔吐一邊閉嘴的高難度兼高矛盾的技術。

不知道這群瘋狂的鄉民砸了多久，但他們肯定是將臉盆裡的蛋通通都砸光了才罷手，而阿祥跟我當然全身都是黏滑噁心的蛋液，以及細碎的蛋殼渣渣。

四周哄堂大笑。

我勉強用手指撥開了黏在眼睛上的蛋汁，看見阿祥同樣狼狽地用雙手拚命將臉上的蛋汁給抹開，他看著我，我看著他……我發誓，如果過了今晚我竟然還活著的話，我再也不看女優被一群汁男集體顏射的變態A片了。

「大明，我們只是來看個大蛇祭，怎麼會搞成這個樣子啊？怎麼辦……我突然有種很害怕的感覺……」阿祥全身發抖，連這笨蛋也曉得害怕了。

「我……我也不知道？」我的牙齒直打顫，話都說不清楚。

「我的睪丸好痛！」阿祥哭喪著臉：「好像腫起來了。」

「我的……」我怕到差點都忘了痛：「也很腫。」

此時，一陣誇張的敲鑼打鼓聲後，一條人蛇從公共澡堂的布簾後蜿蜒爬出。

這條大蛇果然是有夠大，也超級長。

問題是，這不是一條眞正的大蛇——而是一群鄉民披著蛇鱗皮狀的長白布，搖頭晃腦，以舞龍舞獅的方式將「大蛇」給舞了進來的「假大蛇」。

鞭炮不斷在舞蹈的鄉民腳邊燃放，劈劈啪啪，擠在大澡堂裡的全村鄉民用力鼓掌喝采，氣氛十分熱烈。

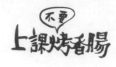

「大蛇來囉！大蛇來囉！」村長用擴音器大喊：「咳！大蛇來囉！」

超級假大蛇彎來彎去，很快便穿過擁擠的人群，來到我們身邊。

原來是這麼回事！！

我又好氣又好笑地看著這條終於逼近的超級大蛇，轉頭看著阿祥：「媽的，我差點被唬住了，原來是這種搞法！這哪來的爆笑風土民情啊？」

反應很慢的阿祥依舊驚魂未定：「還是很恐怖啊！」

「恐怖個屁！就當作被整就好啦！」我翻白眼。

大蛇張嘴，露出裡面一個國小鄉民的腦袋瓜，看樣子是這個村落的國小學生集體支援演出這條爛大蛇，光是想像一群小學生苦著臉在操場排練的蠢樣，我忍不住大笑出來。

「大明，笑點在哪裡啊？」阿祥看起來還是很害怕。

「這條蛇全身上下都是笑點啊！」我哈哈大笑。

村長拿著擴音器大喊：「一咬，闔家平安！」

全村鄉民齊聲大喊：「闔家平安！」

只見這條張開大嘴的超級假大蛇，在阿祥的身上象徵性咬了一大口。

村長拿起擴音器又喊：「二咬，風調雨順！」

全村鄉民齊聲大喊：「風調雨順！」

超級假大蛇換咬我一大口，我還聽見幾個不專心舞蛇的小學生在長布底下嬉鬧，我趁機踹了舞頭的那個小學生一腳。

村長拿起擴音器再度一喊：「三咬，國泰民安！」

全村鄉民齊聲狂吼：「國泰民安！」

這一吼，吼得整個澡堂差點崩潰，我的耳膜幾乎爆炸。

但這一吼之後，不只我身邊這條超級假大蛇以最快速度溜走，全村鄉民也爭先恐後拿著臉盆衝出澡堂，我眼睜睜看著他們將鐵門從外面關上，還有一陣慌張反鎖的鏗鏘聲。

整間空蕩蕩的澡堂，就剩下滿地的蛋殼蛋黃蛋液蛋臭，被剝掉亂扔的衣褲，還有我們兩個渾身一絲不掛的蠢遊客。

我們面面相覷，完全無法理解情勢。

我嘗試用手指摳著身上逐漸乾掉的蛋液，那觸感有夠噁心。

「現在是怎樣？」阿祥呆呆地看著我。

「我哪知道，就看他們什麼時候放我們出去啊。」我看著手指上的蛋垢，噁。

「我們會在這裡待一整個晚上嗎？」阿祥撿起被丟在地上的手銬，看了看。

「我跟你一樣，我也是什麼都不知道啊。」我打量這個頗有年代的大澡堂。

這裡恐怕是日劇時代就蓋好了，鄉民進行這個無聊又無腦的「大蛇祭」恐怕也有幾十年的歷史。雖然我對人類學沒什麼研究，但常識上，這種祭祀大概跟古老時代村民將處女丟進河裡，宣稱獻祭給河神以祈求平安的道理，大同小異吧？

或許這個村莊以前遇到瘟疫肆虐、野獸傷人、山洪爆發等災難，都是用這種象徵性向山神進貢祭品的儀式，祈求山神賜福吧？這個儀式令假大蛇咬了我們三口，肯定就是以山神的巨嘴，吞食掉滿村莊的穢氣吧？

而這裡的山神，就是大蛇？也就是蛇神？但爲什麼是用蛇神當山神啊？大概以前眞的有人見過一條很大的蛇所以穿鑿附會吧？還是蛇有什麼特殊意義？硬要扯遠的話，以蛇做神，與眞武大帝腳下的烏龜跟大蛇的傳說有沒有關係啊？

我努力在這蛋氣沖天的鬼地方思考，好讓我暫時忽略剛剛那一陣蛋洗的痛苦與屈辱。

「大明，現在都已經快十二點了耶。」阿祥皺眉。

「然後呢？」我幫阿祥撿起他的單眼相機，雖然沒摔壞，但整機都被蛋洗。

「這麼晚了，等一下還要叫小姐嗎？」阿祥接過相機，語重心長地說。

「……你是白痴嗎？」我難以置信他的智障，扠腰搖頭：「我想我們要有心理準備在這裡過夜。」

「在這裡過夜？」阿祥同樣一臉難以置信：「在這種地方要怎麼叫小姐？」

正當我不知道該怎麼繼續這種超弱智的對話時，我隱隱約約聽見什麼，揮手示意阿祥暫時不要說話。

「？」阿祥不明所以。

我狐疑地看著阿祥，壓低聲音：「你有聽見什麼嗎？」

「聽見什麼？」阿祥有些緊張。

「噓。」噤聲，我仔細聽。

不只我，這次阿祥也聽到了。

是一種空氣高速震動的細微聲音。

不是吱吱。

……是吡吡。

在斷斷續續的吡吡吡吡聲中，還有一股物體摩擦的、緩慢至極的爬梭聲。

我們東張西望，想找到這些越來越近的聲音來源。

很快地，阿祥跟我的視線合而為一。順著彼此的視線，我們瞪著乾涸的池子底——一個大到不正常、猶如水井般的「排水孔」。

這裡是公共澡堂的溫泉水池，池底這個大排水孔平常肯定是給封住的，它的邊緣都還留有圓滑的切邊，十之八九是用大街上常見的厚實金屬盤給蓋住吧？

現在，它卻空蕩蕩，直通深幽的地底。

「……」我全身顫慄。

「……」阿祥拿起單眼相機，顫抖地對準排水孔。

令人不安的呲呲聲，緩慢到讓人窒息的爬梭聲，還有阿祥跟我的心跳聲。

喀擦。

答案揭曉的瞬間，阿祥的手指也按下了快門。

一條白色的大蛇，從直徑至少一個成人手臂長的排水孔慢吞吞爬了出來。

05

這條大蛇，何止超級，簡直是恐龍。

牠吐信的舌頭像條紅色長鞭，抽打著充滿蛋臭的空氣。

牠的眼睛紅通通，閃爍著赭紅色的光芒。

純白色的蛇鱗猶如接縫完美的盔甲，在地上刮出逼人暫時停止呼吸的聲響。

至於牠到底有多長？恕我無法奉告，因爲牠的巨嘴已經來到我們面前，牠的身軀都還沒完全爬出排水孔，不曉得還有多少藏在深邃的地底。

如此誇張巨大的蛇體已超出歷史資料的既存記錄，撕裂科學理解的範疇，顛覆ptt鄉民常識，突破現存的所有傳說，凌駕電影特效，大幅擊敗３Ｄ效果眼鏡的臨場感。超級大，無敵大，**恐怖大！**

就像小綿羊在河畔碰見大鱷魚。

猶如毛毛蟲在葉尖上撞見螳螂。

等同在房間打手槍媽媽突然開門進來問我要不要吃稀飯。

我們完全失去逃跑的力氣，甚至連最低程度的尖叫都發不出來，只能呆呆地看著這條史前巨獸大白蛇，慢慢伸長爬起至天花板頂，牠的陰影完全將我們籠罩在底下。

蛋氣瀰漫，巨大的白蛇首從天花板頂緩慢垂下。

全身僵硬的阿祥轉頭，用一種我從沒見過的眼神看著我。

「……大明？」阿祥的臉，忽然被大白蛇的舌頭抽舔了一下。

我看著阿祥將手上的單眼相機遞了過來，一時還不明白。

「幫我拍。」阿祥的眼神超呆滯。

「啊？」我接過相機的手，幾乎停格。

大白蛇的舌頭又抽舔了阿祥的臉一下，那力道，就好像進食前玩弄食物般的溫柔。

「不要開閃光，不然會不自然。」阿祥呆滯的眼睛裡瞬間滿出了淚水。

「啊？」我茫然了。

「手震的話，我永遠都不會原諒你的。」阿祥的臉滿滿都是大蛇的口水。

都什麼時候了，他竟然還不忘拍照？

不過……

「我可沒自信活到把照片上傳到網路相簿啊。」我苦笑，失禁了。

自從當了爲九把刀蒐集靈感的助理之後，我好像常常失禁。

不過這大概是我最後一次失禁了吧，哈哈，哈哈……哈個屁啊我好想哭！

此時大白蛇溫柔地張開大嘴，輕輕地含住阿祥的頭。

阿祥的身體劇烈抽動了好幾下，但露在蛇嘴外的手仍不忘朝我比YA。

我趕緊拿起單眼相機，拚了命狂按快門。

我一邊哭，一邊失禁，一邊遵守諾言幫阿祥記錄下他那執著的最後身影，直到阿祥只剩下兩隻腳丫子搖搖晃晃，我依舊不斷變換攝影的角度，伸縮著鏡頭，盡其可能地捕捉。

終於，阿祥消失了。

不，他沒有消失，阿祥還卡在大白蛇的喉嚨裡，看那個卡卡的怪形狀，很明顯阿祥還在擺pose，如果他還能說話，他肯定是想告訴我……

「我知道。」我按下快門，喃喃說道：「繼續拍是吧！」

終於阿祥的凸起pose越來越下沉、下沉、下沉，下沉到離開我的視線，我才放下了相機，將它放在腳邊衣褲上。

大白蛇垂首，用牠赭紅色的瞇瞇眼凝視著我。

我知道，緊接著就是我了。

在我還沒找到我爸爸被神祕液體溶解而亡的謎底之前，我就要葬身在這個花蓮小村的史前大蛇之謎裡。我的人生將盡前，果然還是在又哭又尿的悲慘情境下度過，如果九把刀知道我是如何鞠躬盡瘁的，一定會，他一定會……

「他一定會笑！」我勃然大怒：「他一定會笑到連眼淚都流出來！」

被我這麼一吼，大白蛇像是愣了一下。

我一拳打在大白蛇的臉上，大叫：「不要用看食物的眼睛看我！」

吡吡。

大白蛇紋絲未動，還用舌頭在我的臉上舔了好大一下。

我的求生意志，卻隨著我對九把刀的憤怒湧了上來，一拳又落：「吐三小！」

這一拳沒有打中，因爲我踩到了滿地黏滑的蛋液，整個滑倒。

我的臉重重貼地的那一瞬間，發生了兩件事。

這兩件事，一大一小。

先說大事，我的左腳，感覺給含住了。

我反射性回頭一看，發現不是感覺，我的左腳是眞的被大白蛇給含住了。

再說小事吧，我這一回頭，赫然發現第三個錦囊被扔在我被脫掉的牛仔褲旁。

這件芝麻蒜皮等級的小事，馬上就變成我唯一能期待的潛在性大事，正當我被大白蛇含住左腳慢慢拖向後方時，我一把抓住第三個錦囊！

下一眨眼我已倒吊在半空中，大蛇含著我的左腳晃啊晃的，這個不自然的姿勢害我感覺到骨盆跟大腿附近的位置好像脫臼了。我慘叫：「痛死我啦啊啊啊啊

啊啊啊啊！」右腳狂踹狂踢。

大蛇當然沒理會，繼續吞我。

「不要太過分啊！」我痛死了，將軟趴趴的錦囊脫手一丟。

這一亂丟，意外丟中了大白蛇的兩眼之間，卻見大白蛇宛如被飛彈擊中，整條蛇往後翻倒，而我也重重摔在地上。

顧不得屁股脫臼加左大腿嚴重抽筋，我馬上用十萬火急的速度將掉在蛋汁裡的錦囊重新撿起，一個翻身，對著突遭重擊的大白蛇大叫：「哈哈哈！」

大白蛇弓起牠露在排水孔外的巨長身軀，警戒地吐信示威，腦袋卻又有些不穩地斜斜搖晃，很明顯，剛剛被錦囊擊中的傷害仍在。

雖然我不知道這錦囊爲什麼剛剛對鄉民沒用、現在對大蛇卻又很有效，但這一點也不重要，重要的是，這錦囊是我現在唯一能憑藉的武器，我死抓著不放，裝模作樣地對大白蛇吼叫：「來啊！來啊！」

此刻的對峙，比起今天中午我跟魔神仔的一挑一，形勢更凶險了一百倍。

在我跟魔神仔攤牌之前，我們好歹也故作沒事地相處了七天，我甚至還無意識地上了魔神仔一次或兩次，大家有相處，魔神仔也會講話，彼此就有溝通的基礎，但眼前這頭史前大白蛇，我們唯一的相處，就是我用單眼相機拍牠吞掉我最好的朋友阿祥！

大白蛇的頭頂著天花板，踞高而下。

「來啊！誰怕誰啊！」我揮舞著拳頭裡的錦囊，猶如揮舞聖火。

「吡吡……吡吡……吡吡……」大白蛇吐信的頻率變高了，好像很生氣。

我實在受不了這種恐怖的氣氛，握緊錦囊，一個亂七八糟的箭步，用力踩著地上的蛋液往前，對著大白蛇的蛇腹就是一拳！

大白蛇吃痛，張嘴往下想將我一口氣吞掉，我趕緊握住錦囊一個勾拳向上，剛剛好讓我命中大白蛇下顎，那一瞬間，大白蛇竟給我這一拳轟成九十度後仰！

「！」

這種異樣的感覺，就好像《海賊王》裡的魯夫突然學會了霸氣，普通的拳力裹上了錦囊的威能，力量陡增一千倍似地！這個超級大逆轉連我自己也嚇壞了，我忘了再補上幾拳，就這麼眼睜睜看著大白蛇痛苦地倒縮回那巨大的池底排水孔。

「……」我久久都說不出話來，只是乾瞪著不斷發出碰撞聲的排水孔。

排水孔裡漸漸沒了聲音，我想，大白蛇應該是知難而退了吧？

我就這樣失魂落魄地坐在地上，看著那個不曉得究竟通到哪裡的排水孔。

「阿祥……」

阿祥被大白蛇給吞掉了，吃掉了，現在大概被消化到一半了吧，如果阿祥還有知覺，一定希望我拍下他變成漿糊狀的模樣，白痴的他一定覺得很酷。

我想學那些假文青，哀傷地對帶走阿祥的排水孔說點什麼感傷的話，但我一句對白也想不出來，更悲慘的是，天啊我竟然沒有辦法哭出來，我還無法相信阿祥真的被大白蛇給吃掉了……如此脫離現實的事。

過了許久，我終於意識到這裡是澡堂，於是我找了一個水龍頭，加上一塊乾癟的水晶肥皂，將自己跟衣褲徹底沖洗了個乾淨，濕淋淋地等待天亮。

終於，雞鳴了。

當鄉民一大群喜孜孜地將公共澡堂反鎖的門打開後，看見我還活著，每個人都傻到說不出話來。

我跟鄉民之間也沒什麼好說的，所以我就送他們每人一句幹你娘，隨後便帶著阿祥遺留下的單眼相機，趁鄉民來不及反應，就火速跳上一台急馳而過的砂石車，離開了那個糟糕透頂亂訂法律的爛村莊。

「你們這些——王八蛋！」我在車頂砂石上，高高向他們用力比中指。

我躺在被盜採的砂石上，刺眼的陽光螫得我睜不開眼。

兩個人來爬山，一個人離山。

一陣悲愴，突然想寫幾句新詩獻給無法與我一起回家的好朋友，阿祥。

Old，Friend，

你在蛇肚裡，過得，好，嗎？

冷？

還是，太黏？

是不，是，覺得，很擠？

手機，沒有，跟著，被，吞，吧我想，

所，以抱歉，我，無法打給你，唉，

單眼新，的，我收，下，了，

幫你，好好，的用，似乎也是我，的，新責任，吧。

誰教我們是friend呢？

阿，祥，

再見。

祝，你早，日變成一顆，

蛋。

大明，敬，上。

CHAPTER 4

嘴角他媽的的鞋帶

01

回到了台北，滿臉是灰的我考慮要不要去報案。

雖然阿祥被史前巨獸級的大白蛇吞掉，這麼扯，扯到去警察局做筆錄時一定會被笑死，但我手中可是握有相當程度的證據，也就是二十幾張阿祥被大蛇活活生吞的連續照片，這些照片即使送去科學鑑定也沒有問題，因爲都是貨、眞、價、實！

然而比起報案，有件事我急著想知道。

還沒換下一身臭味的衣服，我立即搭計程車衝去找九把刀。

剛剛拍完電影「那些年，我們一起追的女孩」的九把刀，正在後期公司台北影業忙剪接，我難得看到那個大爛人一臉疲憊地癱坐在沙發上，好像連打了十次槍，萎靡不振。

「講完了就快滾，我們還在剪電影最後十分鐘啊。」穿著拖鞋的九把刀蓬頭垢面，連鼻毛都沒時間剪，皺眉瞪著我：「哇靠，你好臭！」

「老闆，你快告訴我，你給我的三個錦囊，裝的到底是什麼？」我握拳。

「裝大便。」

「不是，我是認眞的，錦囊裡裝的到底是什麼！」

「裝大便。」

「老闆……我一點也不是在開玩笑！」

「裝大便。」

他媽的我最氣我認眞跟別人講話的時候，卻一直被亂敷衍，我氣急敗壞地拿出那三個神祕錦囊，用蠻力亂扯，終於把錦囊的布扯破，裡面裝的三個黑黑的東西掉了出來。

我握在掌心，仔細端詳。

這三個黑黑的東西似曾相識，我一聞，竟然有一股熟悉的臭味。

「這東西……」我抽動鼻子，近距離確認錦囊裡黑色物質的氣味。

「就跟你說是大便。」九把刀不耐煩地說。

「誰的大便?」我聞到了恐懼。

「還有誰?」九把刀一副理所當然:「當然是我的大便。」

我傻到完全說不出話來了。

這個王八蛋老闆,在錦囊布裡裝了三坨大便,然後交給我當護身符?

「爲……爲什麼?」我失神,手中的大便差點掉在地上。

「我不是在非洲肯亞的遊記裡說過嗎?」九把刀沒好氣地說:「自己去我桌上的稿子翻一翻。」

我想起來了,九把刀曾說過,由於動物常常用排泄物的氣味劃分地盤,所以在荒野旅行的老行家,常常會特意蒐集猛獸的排泄物,如獅子,如熊,如豹,的乾掉的大便,晚上紮營烤火時,先燒一點,將猛獸的氣味發散出去,入夜的時候,再將剩餘的排泄物散放在帳篷外圈當作地盤示警,如果有別的動物接近,聞到了這些猛獸的排泄物氣味,就不敢侵入,於是旅人便能安心入睡。

基於這個邏輯,一向幻想自己是地球上最強生物的九把刀,竟然將大便裝在錦囊，叮囑我危急時刻拿出來解圍——這種超自大的思考邏輯！

九把刀，他真的病得不輕！

「不過，那不是普通的，我的大便。」

「！」

「那是我特地挑在陽年陽月陽日的全陽時間，在我家陽台上，屁股曬著中午太陽拉出來的大便，拉出來後，還在太陽底下曬了七七四十九天才算製作完畢，徹底吸收太陽的精華，絕對就是超級無敵龍大便，遇鬼殺鬼，遇魔降魔！」

「……這種製程是從哪聽來的？」

「全陽時辰，跟一口氣搞他七七四十九天，不就是所有靈異人士的共識嗎？大家都這麼說的啊！」

我眞的是超傻眼的。

這種毫無道理的蠢事，就只有九把刀這種白痴兼自大狂才幹得出來！

暫時撇開九把刀是不是唬爛，這三個錦囊的的確確有斥退魔物的奇效，第一個錦囊將我拉出了妖怪的幻覺迷霧，第二個錦囊成功壓制住魔神仔，第三個錦囊則硬是狠狠擊退了那條史前大白蛇！

是大便也罷，不是大便也罷！

我暫時不想去想了，但我也不想再屈辱地拿著九把刀的大便了，我洩恨似用手將三塊早已被我握爛的大便黏在電影後期公司的沙發上，反覆擦拭，在這個過程中九把刀竟然打了個盹。

「老闆！醒醒啊老闆！」我沉痛不已：「故事還沒說完……」

「嗯啊？你還沒走？」

悲痛莫名的我趕緊告訴九把刀大蛇祭血腥的眞相，高潮迭起，句句血淚。

「喔，眞的假的啊？阿祥被那條大蛇給吞了？」九把刀看起來很提不起勁。

「阿祥死了！」我哽咽，拳握緊。

九把刀打了一個很臭的呵欠：「眞可憐，不過……阿祥是誰啊？」

看樣子這王八蛋其實根本不信，沒關係，我拿出阿祥的單眼相機，從照片庫裡按出那些驚悚直擊，每一張照片都足以登上國家地理頻道雜誌的封面，最爛也可以拿去上劉寶傑的「關鍵時刻」。

只見九把刀面無表情地看完那些蛇吞人的圖片，抬起頭來看著我。

「那條蛇很大耶。」九把刀將相機還給我。

「蛇……很大？」我難以置信他的無感，接過相機的時候手還在發抖。

「嗯啊。」九把刀揉著布滿血絲的眼睛。

「老闆，那個村莊全部的鄉民都是變態！他們集體謀殺了阿祥！不只這樣，他們還涉嫌非法制訂違反憲法的爛法律，非法限制我們的人身自由，更非法將我們全身剝光，再非法用雞蛋砸我們，還瞄準我們的小雞雞！對了，他們非法逼我們吃很多的蛋！滿桌子的蛋！那種爛村莊就是這樣坑殺遊客的，我相信這種變態的大蛇祭一定不只辦過一次，他們肯定涉嫌夥同大蛇謀殺了幾百個遊客，這是一樁殘酷的歷史大屠殺啊！」

「蛋滿好吃的啊。」九把刀的注意力迥異於常人。

「老闆！那是滿桌子的蛋！都是蛋！我跟阿祥都吃到快吐了！」我咆哮。

「不過……阿祥是誰啊？」

「阿祥是我最好的朋友！」我很激動，這傢伙到底有沒有在聽啊。

「被吃了，滿屌的啊。」

「滿屌的？老闆！這是一條人命啊！我最好的朋友的命啊！」

九把刀搖搖晃晃從沙發上站起，從報架旁的自動研磨咖啡機裡倒了兩杯熱咖啡，一杯給我，一杯給自己。

「王大明，你還滿會唬爛的嘛。」九把刀撐著下巴。

「唬爛！我從不唬爛！」我快爆炸了。

有這種不重視生命的老闆，我拿的錢也是髒的！我繼續幹下去也沒意思了！

「那你看看，站在你後面的人是誰？」九把刀的視線射向我的背後。

我霍然轉頭，脖子差一點給嚇斷。

阿祥！

阿祥就站在我後面，歪著脖子，好奇地打量我。

「！」我嚇到完全說不出話來。

「從剛剛你一坐下，他就站在你後面聽你鬼扯。」九把刀不以爲然地看著我。

爲什麼！

阿祥明明就給大白蛇吞進肚子了，照道理說現在應該變成了一條大便，可爲什麼又活生生出現在我面前？難道過去幾個小時發生的一切都是我的幻覺嗎？難道我都在作夢嗎？

拿起熱咖啡，九把刀懶洋洋地說：「就是這樣，王大明，做一份事領一份錢，你別想我會爲你又爛又假的故事付一毛錢啊。」

「這種事……怎麼可能……」我勉強吐出這幾個字。

阿祥看著我，但眼神令我陌生。

「你不是阿祥！」我脫口而出。

等我意識到我剛剛說的那句話有多可怕的時候，一陣寒意才爬上我的頭皮。

「我、是、阿、祥……呲……呲……」阿祥以極爲緩慢的速度說話。

那眼神，根本就不是阿祥的眼神。

不，那根本就不是正常人的眼神！

「老闆！他不是阿祥！」我驚叫。

「啊？爲什麼？」九把刀聞著熱咖啡的蒸氣，一副事不關己。

「他講話後面加了吡吡吡的怪聲！」我尖叫。

「我是阿祥，吡……吡吡吡。」那個不是阿祥的阿祥，臉色奇怪地吡吡吡。很故意！

「原來吡吡吡是阿祥的口頭禪啊？」九把刀恍然大悟。

「不是！」我大叫。

「我是阿祥，吡吡吡。」阿祥瞪大眼，微微吐舌。

「你看！他的眼睛紅紅的！那根本就不是人的眼睛！」我指控。

阿祥的眼睛不只紅通通的，仔細一看，還閃爍著不正常的光。

「原來阿祥經常熬夜啊？」九把刀點點頭。

「不是！不是！不是不是不是不是！」我大叫：「他不是阿祥！」

夠了！

夠了！

原來這一切還沒有結束！

02

原以爲一切的惡夢，在我不顧一切逃離了那個變態村莊後就會結束。

但，是我太天眞了。

離開了電影後期公司，不管我走到哪，「阿祥」就跟到哪。

不，他不是阿祥，他只是一個長得很像阿祥的人。

我故意去百貨公司地下街吃飯，「阿祥」就跟我去地下街吃飯。我吃著大滷麵，他就面無表情坐在我前面，眼皮眨也不眨地看著我吃完整碗麵。

「看三小……叮噹啦！」我嘴巴挑釁，心底卻狂起疙瘩。

「吡吡吡，吡吡吡。」阿祥發紅的眼睛盯著我。

我故意去湯姆熊玩投籃機，「阿祥」就跟我去湯姆熊看我投籃。我連續投了二十幾次，他就一根紫竹直苗苗地看著我投了二十幾次。

「阿你是沒地方去喔！別跟著我！」我超不爽，作勢拿球砸他。

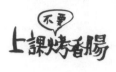

「吡吡吡，吡吡吡。」阿祥又是那副死樣子。

最後我故意去電影院看二輪電影，「阿祥」就站在戲院門口等我看完電影出來。據戲院門口賣滷味的老闆說，「阿祥」竟站在那裡一動也不動，站了整整兩部片的時間。

老實說，被「阿祥」這種魂不附體的跟法，我眞的不敢去人少的地方，更別提回家。

依照我長期看「關鍵時刻」受到的啓發，再加上我不負責任的判斷，這個一直死跟著我不走的「阿祥」，很可能是被某種怪物給「掉包」了，或至少，也是被幽靈附身了。

一想到這兩個可能性，我根本不敢落單，當機立斷決定睡在人來人往的行天宮門口柱子旁，讓關老爺保佑我一覺到天亮。

天要亮不亮，我就被寒氣凍醒。

我揉著眼睛哆嗦醒來的時候，第一眼就看到了「阿祥」。

「阿祥」就站在我面前，看著貌似流浪漢的我睡了一整夜。

我又倦又累，一股無奈壓過了火氣。

「你到底想怎樣？」我坐了起來。

「吡吡吡。」阿祥還是超白目地吡吡吡：「我是阿祥。」

「你不是阿祥，但你到底想怎樣？」

「我要當阿祥。吡吡吡。」

「你不是阿祥。」

「我要當阿祥。吡吡吡。」

「……」

我總算聽清楚了。

這個假裝阿祥的傢伙，說要當阿祥，意思等同他承認了自己並不是阿祥。

暫時，還不是。

我當然心知肚明他不是阿祥，但他直承不諱，還是讓我打了一個冷顫。

幸好大爺我就坐在行天宮前面，背後有關老爺當我靠山，正氣無限。

「我聽不是很懂。」我指著他，微怒：「反正你承認了你不是阿祥，是吧！」

「我要當阿祥，呲呲呲。」阿祥面無表情地說：「呲呲呲。」

「那你告訴我，眞正的阿祥去哪裡了！」

「呲呲呲，吃掉了。」阿祥雙眼發出淡淡的紅光。

是啊，我這不是白問嗎？

阿祥正是在我眼前被吃掉的，當時我只顧著拍照！

「好，吃就吃了，那你爲什麼要扮成阿祥的樣子？」我握拳。

「我吃了阿祥，所以我要當阿祥，呲呲呲，呲呲呲。」

「什麼！竟然就是你吃的！」我跳起來。

「呲呲呲……」阿祥用吐舌頭的死樣子，承認了他就是那條凶手大蛇。

我們兩個，一個人，一個妖，就這麼樣在行天宮前呆呆看著對方。

說是對峙，並不精確，我幾乎無法用語言抓準這種你看我我看你的茫然氣氛，「阿祥」的紅眼並沒有透露任何敵意或殺氣，而我的心情陷入極度的錯亂。

站在我面前的，不僅僅是個假扮成阿祥的妖怪，更是呑吃阿祥的凶手。

這個可能性在這個妖怪自己說出口前，我並不是完全沒有想過，而是一直迴避這樣的念頭在我腦海滋生。因爲我知道我不僅沒種報仇，即便有種也沒本事報仇，假使有本事報仇、但報仇肯定會讓我自己陷入兩敗俱傷的危機，十之八九我也會畏縮不敢報仇。

所以我的心中一直暗暗祈禱這個「阿祥」千萬別是吃掉阿祥的凶手，否則我就被迫陷入某種道德危機——不知道凶手是誰也就罷了，但凶手就在眼前，不幫朋友報仇的話，就是沒義氣！

現在好了，我一不小心就讓這個妖怪承認了他就是吃掉阿祥的凶手，逼我自己陷入了窘境。

不行，我得找回立場。

「我不相信你就是那條大蛇。」

我一邊冒冷汗，一邊冷笑：「這一點都沒有道理，根據質量守恆定律，一條那麼大的蛇，怎麼可能變成這麼小的一個人？重量都到哪裡去了？我看，你只是一個假冒阿祥的流浪漢吧，還吡吡吡咧！」

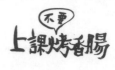

「我可以變給你看，呲呲呲。」阿祥微微歪頭，一副說變就變的模樣。

「等等，變也沒用，別以為你變成了大蛇，我就會相信你就是那條吃掉阿祥的大蛇。」在詭異的壓力下，我開始說教起來：「在那種鬼地方，大蛇肯定不只一條，而是有千千萬萬條大蛇，就算你們之間有一條蛇吃掉了阿祥，你們長得通通那麼像，誰分得清楚哪一條才是眞正吃掉阿祥的那一條？」

「只有吃掉那一個人，才可以變成那一個人。呲呲呲。」

「是喔？你說了我就要信啊？告訴你！我這個人就是有一分證據說一分話！」

「呲呲呲……」

「不要在那邊給我呲呲呲！」

我亂七八糟跟眼前這個殺阿祥凶手辯論起來，就是不肯接受殘酷的事實——我是個很糟糕、沒義氣的爛朋友。話說，世上最遠的距離，就是吃掉朋友的妖怪就在眼前，但我卻只能假裝自己不是一個孬種！

我甚至不敢走過去給他一拳！

□

漸漸地，一大早就來拜拜的香客多了起來。

我開始後悔，爲什麼昨天去電影後期公司找几把刀的時候，知道了錦囊的眞相，沒有拉下臉跟他再多要幾顆乾大便，害自己現在毫無籌碼。

「你到底想怎樣？」我試圖保持冷靜：「是不是想等我走到沒有人的地方，再忽然把我吃掉！」

「我說了，呲呲呲，我想當阿祥。」阿祥重複著同一句話：「教我，當阿祥。呲呲呲。教我，當阿祥……」

忽然，我從阿祥赭紅色的眼睛底，看見了眞誠的渴望。

這一份渴望，我依稀在魔神仔的眼瞳裡見過……

03

現在的場景，是麥當勞。

我的桌上擺了一堆薯條，以及一排剛剛從便利商店買來的雞蛋。

薯條是給我吃的，而那一排雞蛋，當然是給「阿祥」吃的。

在接下來的一個多小時裡，我總算強迫自己聽明白了「阿祥」的故事。

上一篇遊記裡說過了，花東深山裡山精鬼怪尤其多，許多都幻想著總有一天可以幻化成人，這點我是親身經歷。至於這條一不留神就活了上千年的大蛇，也不例外。

比起沒有形體也沒有原貌的魔神仔，這條超級大白蛇可是結結實實地活了非常久，久到有一天，牠的軀體大到可以吞掉一整個人的時候，牠就眞的吞了一個人。牠覺得，比起其他動物，人吃起來的感覺很不一樣。

「很不一樣？」我咬著薯條。

「人會，說話，吡吡吡……」阿祥吞了一顆蛋。

的確，人會說話。

不像其他動物所發出的單調聲音，其竭盡所能也不過就是「聲調轉換」的程度，人類在掙扎慘哭時所嚎叫出來的「語言」充滿了各式各樣的音階與潛在的表達意義，令大蛇深深著迷。

牠心想，這種擁有千奇百怪的「語言」的物種，究竟爲什麼如此與眾不同呢？他們臨死之前所發出來的叫聲，除了求饒，還有什麼其他意義嗎？

爲了得到答案，牠就一直吞一直吞一直吞。

直到一整個部落都被牠默默吞掉。

直到兩個部落都埋葬在牠的肚子裡。

爲了對抗貪吃的大蛇，不同部落間的原住民勇士開始集結討伐，用弓箭與砍刀試圖奪回老祖宗遺留下的獵場，卻前仆後繼地消失在森林裡。狼狽的生還者，則成爲大蛇傳說的一部分。

起先大蛇只是原住民歷代相傳的魔物，後來漢人呼朋引伴進了山區伐木，也糊裡糊塗走進了大蛇的五臟廟。眨眼過了兩百年，日本軍隊的太陽旗揮舞進了花東，也有好幾支部隊在深山裡遭遇到了大蛇的強襲，子彈一排排釘在牠堅韌的鱗片上，倉皇失措的武士刀向牠揮舞……

帶來了蠻橫的死亡，卻同樣吞噬了強敵，大蛇被誤植了山神的稱號。

牠的身子越來越大，某種模糊的答案也悄悄地在牠的肚子裡孕育成形。

牠開始聽得懂粗糙的語言，於是牠總算聽明白了來自人類部落的乞饒，出於好玩，也出於想知道「這麼做的話會有什麼樣的結果」，牠接受了來自人類單方面的約定——牠一年只造訪紅花部落生吞兩個人，換來人類五體投地的崇敬。

吞的人少，卻被當成神祇，大白蛇覺得很新鮮。

其餘不吃人的時間，牠就吃吃別的東西，但漸漸地牠發現自己不吃東西也不感到特別飢餓，或許靈性的增長慢慢地抑制了食物之於生存上的需求。而牠也開始跟深山裡其他想幻化成人的精怪對話。

「對話？」

「沒錯，對話。呲呲呲！」阿祥露出極難得的得意神色。

基於食物鏈牢不可破的關係，原先不同的動物之間是鮮少對話的，即使碰了面，也只會發出大大小小的「聲音」做最基本的生理溝通——警告、求偶、害怕、虛張聲勢、主張地盤，諸如此類，遠遠不是聊天。

是的，聊天。

人類的語言包含的意義太豐富了，意義豐富到滿出來，滿到衍生出很多累贅的用法。仔細想起來，聊天的確是一種很奇妙的狀態，泛指與延續生命基本無涉的、意義不明的、純粹打發時間的溝通，這種溝通僅會發生在具有靈性的動物身上。例如，這些不約而同想成爲人類的精怪上。

發現這一點之後，大白蛇便愛上了這種漫無邊際的對話，只要遇到了那些山精湖妖，大白蛇就開始練習語言。

說起來諷刺，人類的語言，跨越了精怪之間的物種障礙，成爲大家共同的橋梁。同時透過這些對話，大白蛇也迅速接受了來自其他精怪的願望——成爲人。

大蛇毫無疑問地將這種願望挪爲己用。

大家都想成為人，所以牠也要成為人。

□

「這種白痴想法我從魔神仔那裡聽過一遍了，真是不可理喻。」

「……我覺得，成為人，很好。呲呲呲。」

「哪裡好？」

「可以使用語言。」阿祥吐吐舌頭，說：「呲呲呲，就像現在。」

除了可以使用語言，大白蛇也很喜歡這個不只是想要吃東西跟拉屎的自己。

牠覺得，自從想成為人之後，自己的的確確跟其他的動物不一樣了，也跟以前那個整天只想吃東西跟找樹洞冬眠的那一條自己，大大地不一樣了，因為牠首次有了不僅僅是想活下去的「願望」。

牠覺得自己與眾不同。

多半是「願望的魔力」在體內發酵，從牠想變成人類的那天起，牠就一直很努力把自己變成人，這中間的變化過程近乎不可思議，連牠也搞不清楚自己哪來的「法力」可以讓身體產生如此劇烈的改變。

最後牠發現，自己似乎可以變成任何一個自己曾經吃過的人。

「是基因吧，被你吃過的人的基因，都變成你身體的一部分了。」

「基因……不是靈魂嗎？吡吡吡……」

「靈魂？」

「雖然並不清楚，但我可以感覺到，吡吡吡，那些人還活著。」

假阿祥的表情非常認真，那股認真令我怔住。

「被你吃掉的人，還活著？」

「吡吡吡，大家都拚命地，在我身體裡，吡吡吡，活著。」

「眞是了不起的自我安慰啊，幹。」

每一年，牠都持續進食著由大蛇祭提供的倒楣人類，慢慢地，牠可以變幻的人越來越多。

可大白蛇雖然可以變成人，卻一直無法延長自己變成人的時間。

有時牠僅僅能變成人一個小時，有時牠卻可以變成人三天，但從來沒有維持人形超過一個月以上。忽然之間，無預警地，牠就會從人的軀體變化成巨蛇的原始狀態。

牠想過，是不是牠吃的人不夠多。

牠也想過，是不是牠想變成人的願望不夠強烈。

牠更想過，會不會有可能是牠根本還沒抓到如何變成人的訣竅。

牠不知道，爲什麼。

「你問我爲什麼？我怎麼知道，我打從一開始就是一個人。」

「你沒有想過，要變成其他動物嗎？吡吡吡……」

「我幹嘛想變成其他動物？」

「呲呲呲……」

是啊，我雖然常常抱怨身爲一個人的悲哀，抱怨我爸爸被溶解的悲哀（還有讀者在乎這點嗎？），抱怨身爲九把刀靈感助理的悲哀，但我的確沒想過變成其他的動物。

有時候我會聽到別人感嘆：「啊，如果我是一隻鳥就好了。」

嗯啊，如果你是一隻鳥，就可以飛翔在高空上，飛呀飛呀……感覺很爽。但你必須冒著一不留神就被老鷹吃掉的危險，忍受每天都要吞毛毛蟲裹腹的悲哀，當然了，你從此以後都看不懂《海賊王》最新進度。

偶爾我也會聽到有人對著人海嘆息：「唉，若能化身海豚，該有多自在？」

嗯啊嗯啊，要是你變成了一隻海豚，當然可以整天游泳，想游去哪就去哪，但你打不過鯊魚，躲不過魚網，每天還要忍受跟另一隻海豚做愛的感覺。萬一被抓進海洋公園就更淒慘，每天都要負責跳火圈用鼻子頂氣球帶給所有小朋友歡笑。對了，身爲一隻海豚，你也看不懂《海賊王》最新進度。

那些整天感嘆想變成另一種動物的人，都只是嘴巴說說，都只是在寫詩。沒有人眞心眞意想變成人類之外的動物，這也就難怪其他的動物都眼巴巴地想變成人。

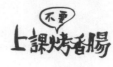

「你說你不曉得什麼時候會再變回蛇，也包括現在嗎？」

「是的，呲呲呲……」

「所以你隨時都會變成一條超級大蛇？」

「很有可能，呲呲呲……」

「那我現在正式告訴你，如何永遠變成人，這個問題我無法解決。」我嚴肅地用著條指著假阿祥，又指了指自己：「我是誰？我不過就是一個很普通的人，我沒有辦法讓你一直hold在人的狀態。」

「呲呲呲……」

「你會呲呲呲，我也會呲呲呲，但我沒辦法讓你hold在人的狀態，again！」

我鄭重告訴假阿祥，就是不想我們之間有任何誤會。

如果這個世界上眞有一個人可以幫助這條蛇精永遠變成人類，那一個人，也不會是我，不可能是我，絕對不會是我，百分之百不會是我，至少劉寶傑跟許湁平甚至是張友驊的等級都在我之上。

「……你是第一個。」假阿祥開口：「吡吡吡。」

「第一個什麼？」

「第一個，可以讓我感到害怕的人類。吡吡吡。」

我愣了一下。

「喔，是這樣嗎？」

「你揮出的拳頭，吡吡吡，打得我，很痛。」

假阿祥的臉竟皺了起來，好像我那一拳的勁道還殘留在牠臉上似地。

雖然假阿祥對那一拳的力量有所誤解，厲害的並不是我，而是九把刀的大便，但這個梗我不能說破，萬一被假阿祥發現我並沒有揍倒牠的力量，說不定等一下牠就會將我拉到麥當勞的廁所吞掉。

為了在這個妖怪面前挺直腰桿大聲說話，我得好好守住這個屎級的祕密。

「雖然身為人類的超級強者，但關於一條蛇怎麼變成一個人，我還是沒有頭緒。」我情不自禁地撥著頭髮：「既然妖怪都會人的語言，你沒問過其他的妖怪怎麼確實變成人嗎？」

「大家，都沒有答案。吡吡吡……」

「倒也是，其他的妖怪好像都沒有你厲害。」

想起我跟阿祥在紅山大旅舍遇到的那個魔神仔，他聚集了一大堆亂七八糟的妖怪，在廢墟裡施展妖術，說穿了，也不過就是在特定的結界範圍內將人迷昏，讓人產生幻覺，將噁心巴拉的死青蛙、蚯蚓與泥巴湯當作山珍海味吃下，還將各種動物看作是美女亂上一通。

但其實，那些妖怪根本無法變成人形，他們只是用法術（是法術嗎？）改變了人腦內的意識，讓旅人以為自己看到了人，可他們根本還是原來的模樣。這種幻覺還僅限定於在特殊的地界裡才有效，涨得要命。

相較之下，這條大蛇妖可以變成一個確確實實的人，而不是單純搞幻覺，牠的道行一定比魔神仔高了七、八層樓高，改天還得靠牠向山裡那些精怪傳授如何變成一個人的方法，而不是倒過來。

「我不想只是可以變成人，吡吡吡，我想成爲一個，眞正的人。」假阿祥不忘吐舌頭：「吡吡吡。」

「我知道，但我一開始就是一個人，所以我不知道怎麼變成一個人。」我緊皺眉頭，假裝思考：「這麼說好了，我連怎麼從人變成一條狗、一隻貓我都不知道。」

「有沒有可能，吡吡吡……我每天都吃一個人，就可以一直當人？」

「你問我，我問個屁？」

「那，怎麼辦？」

「我哪知道？但我非常確定一件事，那就是，如果你hold不住，在都市裡突然變成一條大蛇，百分之百會被警察亂槍射死，要不然就是被抓進動物園關一輩子，如果這裡是美國，你還會被太空總署關起來做研究，總之，你千萬不可以突然變回一條蛇。」

「我盡力。」假阿祥吃著蛋：「吡吡吡。」

「不是盡力！是一定要做到！」我握拳。

我們繼續聊。

我吃光了薯條，而假阿祥也吃光了蛋。

基本上，我答應竭盡所能幫假阿祥想辦法維持住人的狀態，畢竟眞阿祥某種程度也變成了這個假阿祥身體的一部分，那麼，我幫假阿祥，就等於幫眞阿祥。尤其我想到了眞正的阿祥還有家人，而他的家人一定無法接受阿祥從此以後都回不了家的事實。

基於交換條件，假阿祥應允我，牠必須努力扮演好眞阿祥的角色，牠必須常常回家跟眞阿祥的父母相處，牠甚至必須努力工作好拿錢回家，總之，牠要讓自己以阿祥的身分努力活下去。

就當作，我眼前的這個阿祥，是阿祥2.0版本好了。

「我答應你，吡吡吡……」假阿祥吐吐舌。

「就這麼說定了。」我淡淡地說，輕輕捏住了拳頭：「唯有你繼續阿祥的生命，我才可以忍住不替好友報仇的衝動，否則，我一拳揍爆你的臉！」

「了解，吡吡吡。」

不過，詳細到底要怎麼令假阿祥變成一個眞阿祥呢？光是外表像，是遠遠不夠的，要當眞阿祥，我得花很多時間跟他說阿祥是一個什麼樣的人、做過什麼事、讀過什麼學校、喜歡吃什麼不喜歡吃什麼、阿祥關於拍照上的興趣，等等等等的太多太多。

又聊了好一會兒，假阿祥慢慢站了起來，進了麥當勞的洗手間。

我心想，原來蛇變成了人也曉得大小便，只是……不知道現在這個2.0版本的阿祥，拉屎拉尿的功能是不是也跟人類完全一樣，還是略有不同？話說，我好像不知道蛇是怎麼大便的？

幾分鐘後，假阿祥搖搖晃晃從廁所走了出來，捧著肚子在我對面坐下。

「對了，有一件事我不明白，就是你剛剛是怎麼小便還是……」

「……咯。」假阿祥沒有吡吡吡，而是打了個嗝。

我話說到一半，就不由自主停住，因為假阿祥那個嗝吹出來的氣實在太腥、太臭了，整個噴在我的臉上，竟令我有些暈眩。

而假阿祥的嘴角，掛著一條長長的東西。

那條長長的東西當然不是麵條，因為麥當勞他媽的沒有賣麵條。

那條長長的東西有些髒，樣子有點眼熟，好像是……好像是……

「鞋帶？」我怔了一下。

「吡吡吡……嗝！」假阿祥又打了一個嗝，照樣命中我的臉。

我幾乎快被臭到暈倒。

而假阿祥這一口嗝，不只吹出了濃濃臭氣，還吹出了幾條黑絲。

那些黑絲輕輕飄落在桌上，我定神一看，發現是……

「頭髮？」我瞪著桌上的黑絲，抬起頭，又瞪著假阿祥。

假阿祥滿臉無辜地看著我。我這時總算注意到，從剛剛起假阿祥就一直捧著的肚子，幹，真的是有夠大，大到很不自然，大到像有一顆籃球藏在衣服底下。

此時一個年輕媽媽走向男牛廁所，小心翼翼往裡頭探，張望了片刻，最後終於走了進去。幾乎是立刻，那個年輕媽媽小跑步出來，在店裡東張西望，好像在找什麼。

「……」我看著假阿祥。

「……」假阿祥看著我。嘴裡，還銜著一條鞋帶。

那個年輕媽媽在麥當勞裡走來走去，腳步越來越急，她走進喧鬧聲此起彼落的兒童遊樂區，隨即又快步走了出來。她開始詢問每個坐在位子上的人，有沒有看見她的兒子。

「對不起，請問你有沒有看到我兒子？」年輕媽媽來到我身邊。

「兒子？」我鎮定地看著她。

「大概這麼高，剛剛還在這裡的。」年輕媽媽焦急地用手比了一下，大約是一個六歲小童的高度。

「喔？」我面不改色，搖搖頭。

「他剛剛一個人去廁所，一下子就不見了，怎麼會這樣呢……」

年輕媽媽丟下這句話，看我沒回應，就跑下樓找店經理去。

我看著假阿祥。

我看著，嘴角銜著一條爛鞋帶的假阿祥。

在感到毛骨悚然，與感到怒不可遏之間，我選擇了——

「阿祥！」我用力拍桌。

「吡吡吡……」假阿祥像是嚇了一跳：「咯！」

「你到底是想當人！還是想當妖怪！」我很憤怒。

「吡吡吡吡吡吡吡吡吡吡吡吡吡吡吡！」假阿祥表情僵硬。

我用力拉著假阿祥嘴角的那條鞋帶，用力一拔，就這麼將那條該死的鞋帶拔出來！但那個被生吞進去的小孩子，當然不可能跟著這條鞋帶被我一併拔出！

這眞的是，太血腥！太暴力了！

假阿祥不過去了洗手間一趟，就在裡頭吞了一個小孩！

小孩！小孩！就連好萊塢的恐怖電影都對小孩特別禮遇，不管是大白鯊大鱷魚食人魚大海怪大蟑螂，根本不可能有小孩被這些變態怪物幹掉！因爲！沒有人可以接受天眞無邪的小孩遇害！

這隻妖怪，簡直就是毫無良心！

「不可以！吃小孩！」我壓低聲音，卻氣到發抖：「絕對不可以吃小孩！」

「……」假阿祥好像被我的氣勢震懾住，連吡吡吡都忘了：「爲什麼？」

「你知道！那個年輕媽媽有多可憐嗎？她辛辛苦苦養大了孩子，結果卻被你吃了！這是什麼道理？就因爲你是妖怪，所以就可以吃人嗎！」我快氣哭了。

「不可以吃小孩。吡吡吡……」

「對！那個媽媽很可憐！從此以後她就見不到那個小孩了！」

「我懂了，吡吡吡。」

那個年輕媽媽在店裡走來走去，問來問去，我看了眞的很不忍心。

但我無法眞的用神級的暴力制裁這個妖怪，只能動之以理。

與其說，我要教這個妖怪怎麼當阿祥，不如說，我得先教他如何當一個人。

我要教一個妖怪慢慢用最合情理的方式滲透進人類社會，否則他不但不會是一個活得像人的假人，反而是一個披著人皮不斷造孽的怪物。

「聽好了，人類跟動物最大的區別，就是人類有道德感！」

「道德感？呲呲呲……」阿祥陷入沉思。

「要當人，要懂得體貼別人的心情！」

「我懂了呲呲呲。」

「要當人，就要知道有些事可以做，有些事卻萬萬不能做！」

「我懂了呲呲呲。」

「你要成爲一個人，就不能用蛇的腦袋去想人的事！」

「我懂了呲呲呲。」

阿祥站了起來，在我還沒會意過來前轉身走下樓。

我不懂，阿祥到底知道了什麼才果斷下樓，但不久後，阿祥回來，我馬上知道阿祥牠完全不懂。因爲阿祥牠的肚子比剛剛大了兩倍，走路都一拐一拐的。

「……」我的心跳加速。

「呲呲呲。」阿祥打了個嗝：「咯～～」

「你做了什麼？」

「我下去把那個女人吃了，這樣，他們就可以在我肚子裡相遇了。」

我感到很暈眩。

我想，我跟阿祥2.0之間的溝通，還有很多的路要走……

CHAPTER 5
外星人的爛實驗

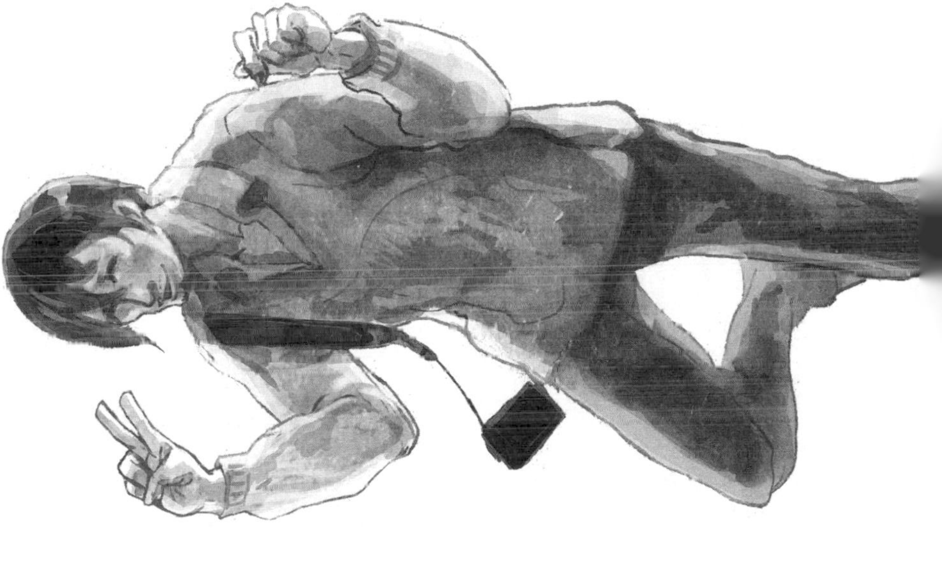

01

持續爲您報導，我是助手干大明。

這幾天我一直在網路上幫忙蒐集毒藥的知識，因爲大爛人九把刀要寫一篇關於殺人的沒營養奇幻小說，要我幫忙整理一些稀奇古怪的殺人法。

「爲什麼要殺人這麼麻煩？吡吡吡，讓我吃掉不就好了。」

說話的，當然是阿祥2.0。

這幾個禮拜，除了安頓好阿祥外，我還幫他找到兩份辛苦但簡單的工作。

第一份工作是在公園旁的路口幫房地產業者舉大字報，就是上面寫著「三峽的價格，信義區的享受！」、「尊榮體驗、富貴一生」、「台商返鄉極致首選」之類字眼的大字報。

第二份工作是在精華地段的騎樓裡發印有立委候選人照片的面紙包，面紙包上面除了印有「懇請支持」的字樣外，當然還有一張被Photoshop修到連他媽都不認得的候選人照片。

這兩個工作，是我覺得只要有基本的勤勞就可以幹得起來的內容，不僅讓阿祥有事做，也可以幫助阿祥適應人類的社會。

□

「吡吡吡，爲什麼我需要工作？」

晚上阿祥拿著我幫他拿到的工資，一臉不解。

「因爲工作可以賺錢。」我喝著思樂冰。

言簡意賅是我的強項。

「爲什麼我須要賺錢吡吡吡？」阿祥看著我喝思樂冰。

廢話連篇則是阿祥的特色。

「因爲有了錢，就可以買很多人類需要的東西。你可以買衣服穿，買東西吃，你可以找地方睡，有很多錢的話你就可以買車子，有更多錢的話還可以買房子，有超多錢的話還可以睡女明星……有爆多錢的話，哇靠你一定要分給我！」

「我可以吃很多不用錢買的東西……」阿祥很困惑。

不等阿祥呲呲呲，我趕緊打斷：「等一下，你不能吃人。」

「不是，最近我吃了幾隻在路邊走來走去的狗，呲呲呲，還有貓，還有幾隻鴿子。對了呲呲呲，本來我還想吃一隻老鼠，但牠跑太快一下子就不見了。」

「……」

雖然亂吃路邊的流浪動物很不可取又沒愛心，但阿祥暫時沒再吃人我已經很感動，現在就不先跟他計較。然而一時之間我也找不到話可以說服阿祥，畢竟當他還是一條大蛇的時候，本來就在深山裡狂吃很多不值錢，喔不，是不要錢的東西。

「我不會冷，不須要穿衣服，我也不用開車，我也可以睡在路邊，呲呲呲，我不知道錢可以拿來做什麼。」阿祥想了想，又說：「晚上我常常看有些人睡在路邊，他們可以，我也可以，不是嗎？呲呲呲。」

「那些睡在路邊的人是馬英九的問題，不是你的。」我皺眉，努力解釋：「基本上你當然可以睡在路邊，但是呢，如果你想當一個眞正的人類，是不是應該學著跟大部分的人類一樣，過大部分人類都在過的生活？」

「那我可以吃了睡在路邊的人嗎？吡吡吡，他們看起來很好吃。」

「不行不行不行，要我說多少次啊，我們人類跟動物最大的區別，就是我們……我們不會吃掉自己的同類。」我猛抓著腦袋，忽然想到一件很重要的事：「我不是叫你每天看報紙認識一下人類的社會嗎？」

「我看不懂人類的字，我只會聽。」阿祥面無表情：「吡吡吡。」

「對喔……我怎麼沒想到這一點？看樣子我得幫你報名國小的注音符號班，從基礎開始學起。總之，雖然我們不會吃掉自己的同類，但我們人類有時候會爲了錢，違反原則去殺了另一個人，可見錢非常重要；既然錢對人類非常重要，你要當人，就得好好去賺錢，從賺錢的過程中慢慢體會錢爲什麼對人類很重要。」

「好吧，吡吡吡，希望我可以學到錢的重要。」

把握機會教育，我繼續說：「我跟你說，人呢，是一種不只是想要活下去的動物，人也很多奇怪的慾望需要滿足，錢呢，就是滿足那些慾望最重要的東西。」

「慾望？呲呲呲，我以前是一條蛇的時候，最大的慾望就是想當一個人呲呲呲，但人最大的慾望又是什麼？」

「說得好，通常呢，一般人最大的慾望就是想要有很多錢。」

「有錢可以買到什麼比成爲一個人更好的東西呢呲呲呲？」

「幹，錢可以拿去買蛋，你喜歡蛋吧？」

「呲呲呲。」阿祥露出罕見的高興表情。

「那就對了，你拿你自己賺到的錢去買蛋，這樣是不是很有意義？」

「呲呲呲，很有意義。」

諸如此類，令我不耐的對話不停上演，因爲我得不斷解釋很多我根本覺得不須要解釋的東西，讓這條蛇好好了解身爲一個人類，終其一生都必須做很多徒勞無功的瞎事，至於這些瞎事的背後究竟有什麼意義……這種大哲學家都未必有正確答案的東西，我也沒有義務知道，於是我就胡亂搪塞過去，反正只要阿祥不吃人，慢慢他就會體會到，身爲一個人有很多很多很多的無奈。

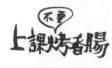

雖然阿祥是個危險人物，但我無法時時刻刻陪在阿祥身邊教導他。我叫阿祥晚上去看電視肥皀劇練習人類使用語言的方式，以及人類是怎麼過日子的。

比起跟我相處，我相信每天看八個小時以上的電視會更有用。

我錯了。

□

「我最近在看一個電視劇，吡吡吡，我有很多地方不懂。」

「什麼地方不懂？」

阿祥坐在天橋階梯上，手裡拿著一盒有機生雞蛋，吃得津津有味。

我拿著一杯熱咖啡。

「有一個男的人類明明喜歡一個女的人類，卻跟另一個女的人類生下另一個人類小孩，而那一個人類小孩長大後喜歡上另一個女的人類，吡吡吡但那一個女的人類是他媽媽跟另一個男的人類生下的女的人類，他們發現之後自認無法進行更近一步的交配，因此非常痛苦甚至想要結束自己的生命，爲什麼？」

這種落落長的句子我當然聽得一頭霧水，但經驗告訴我，這是個老梗。

「因爲他們是兄妹。」我肯定足猜對了。

「吡吡吡爲什麼兄妹不能交配？在山裡根本沒有這種問題。」

「人跟動物最大的不一樣，就是人不會近親繁殖，也就是說人類不會跟自己的父母兄弟姊妹兒女交配，除了因爲近親繁殖很奇怪、很不衛生之外，最重要的是，近親繁殖會讓下一代的基因變得很爛。」我說著一般國中生也明白的生物課內容。

「基因？」

這是我第二次跟阿祥提到基因了。

於是我又花了五分鐘用粗製濫造的方式解釋基因是什麼東西。

「既然不能交配，就找別人交配就好了，吡吡吡爲什麼要那麼痛苦？」

「很好的問題，其實眞相當然就是去找別人交配就可以解決問題了，有時候我們還會找很多不同的人交配，眞實世界裡大家也很少有這種煩惱，但電視上演的劇情本來就很誇張，通常不是人類眞正的生活方式，簡單說，就是電視亂演。」

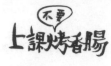

「爲什麼電視上演的東西，吡吡吡不是人類眞正的生活方式？」

「因爲人類喜歡假的東西。」

「爲什麼人類喜歡假的東西吡吡吡？」

「眞實世界令人難受啊阿祥，你知道人類跟其他動物最大的區別是什麼嗎？」

「人類不吃自己的同伴吡吡吡。」

「錯。」

「人類不會近親繁殖……吡吡吡人類有道德觀……」

「錯了，人類跟其他動物最大的區別，就是我們人很會自我欺騙，我們會強迫自己相信一些根本不可能的事，好讓我們覺得好過一點。包括人不吃人，這點其實也是假的，是我們自己騙自己用的，因爲我們覺得人如果可以吃人的話，這個世界就太恐怖了，但其實人偶爾還是會吃自己人的。」

「所以我可以吃人了嗎吡吡吡？」

「不行，我剛剛只是舉一個極端的例子。」

爲了不使阿祥走上邪路，我非常努力地解釋：「比如我們人類其實大部分的人都沒什麼愛心，但我們很喜歡拍一些有愛心內容的電影跟電視劇；比如大部分的人都很孬種，但我們拍了很多關於勇氣的電影跟電視劇；又比如我說過人類跟動物最大的差別就是人有道德觀，但其實大部分的人都沒什麼道德觀，我們之所以說自己有道德觀是怕被別人發現我們其實沒有道德觀，所以我們拍電影或電視劇的時候常常都拍一些很有道德觀的作品，這就是一種集體的自我欺騙。」

阿祥的表情有點痛苦，有點煩惱，又有點不太理解。

「人很矛盾……吡吡吡？」

「這點倒是說對了，人類眞的是一種很矛盾的動物。」

我點點頭，心裡卻猛搖頭，我眞是太天眞了，居然會叫阿祥多看那些俗爛的八點檔！很多對人類的觀點都會被奇怪的劇情給誤導，我得小心應付這類問題。

這時我的手機響了，來電顯示是「假裝被外星人實驗的老伯」。

挖靠，幾個禮拜之前「在釣蝦場浪費掉的那一個晚上」迅速在我腦袋裡重播。我冷笑了一下，接了起來，眞希望那個年輕有爲的老伯看到我現在的表情。

「請問是九先生的助理王先生嗎？」話筒裡的聲音有點怪怪的。

「是的，我就是王大明本人，請問要幹三小叮噹？」我沒好氣。

「王先生啊，人無信用是畜生，還記得你答應過我要去讓外星人做實驗吧？今天晚上九點來釣蝦場集合啊！記得！記得啊！要依照約定把實驗費通通交給我，這是——」

「這是天經地義，我完全了解。」我忍不住吐槽：「但你故意怪腔怪調是怎樣？」

「是這樣的，前幾天我去做實驗，外星人在我的喉嚨抹上一種奇怪的藥膏，之後就開始在我們之間做交換喉結的手術。手術非常複雜，歷經了整整三天時間，幸好除了那個日本人以外大家都順利完成了，所以我現在的喉結是新的，暫時有點不適應也是天經地義。」

雖然百分之百是唬爛，但我還是忍不住多問一句：「那個日本人手術不順利，是怎樣？」

「沒有喉結。」

「嗯……沒有喉結。」

「幸好她原本就是個女人，所以沒有喉結，但新的喉結沒有成功移植到她的喉嚨裡，還是算手術失敗，那些外星人都很遺憾，唉。」還重重嘆了一大口氣。

我真的很後悔問了那個智障問題，好像我也變得很智障。

此時我看了一眼身邊表情呆滯的阿祥，靈光一現：「對了，我有一個朋友也想去開開眼界，不曉得報名還來得及來不及？」

「啊？你的朋友智商很高的嗎？」

是喔，我都忘了那個「實驗」的對象，其先決條件是智商高。

「放心吧，大不了外星人給的智力測驗過不了，他就自己回家。」

「那關於你那一位朋友的推薦費跟實驗費……那個實驗費他可以自己拿，但推薦費應該算在我這邊是吧？畢竟你只是順便問了我一下，但眞正向外星人推薦的還是我，是吧是吧？」

「總之晚上九點釣蝦場見。」

「釣蝦場見！」

掛掉電話。

我看著在一旁默默吃蛋的阿祥，我也不知道爲什麼想邀他跟我去釣蝦場，或許是怕他無聊，也或許是我直覺讓阿祥認識一下人類世界裡的愚蠢跟詐騙，也是一個很好的機會教育。

「阿祥，晚上別看電視了，我帶你去看一堆笨蛋。」

阿祥眼睛一亮：「我可以吃掉那些笨蛋嗎？呲呲呲？」

「不行，笨蛋是一種不能吃的蛋。」

「笨蛋不能吃，知道了呲呲呲。」

02

燈光昏暗，空氣混濁。

對阿祥來說，釣蝦場也是一個非常新鮮的體驗，所以早在晚上八點我們就提前到了釣蝦場，堂堂正正地釣蝦等外星人。

還不到約定的九點，我已釣到了五隻蝦，而阿祥則釣了整整一桶蝦。

嘖嘖，沒想到阿祥是個釣蝦界的絕世高手。

「呲呲呲，爲什麼人類要用這麼……」

阿祥眼睛盯著水面，話說一半，就陷入絞盡腦汁的語塞。

「沒有效率。」我猜測。

「是的，呲呲呲，爲什麼人類要用這麼沒有效率的方式，吃蝦子？」

阿祥這麼說的時候，正好叼著菸的釣蝦場老闆拿著兩桶活蹦亂跳的蝦子，熟練地往池子裡潑灑，正在釣蝦的客人紛紛叫好。

對阿祥來說，釣蝦已經夠白痴了，先將想要釣起來的蝦子往池子裡丟，再千辛萬苦把蝦子釣起來煮了吃，實在是蠢到了極點。

「人類跟其他動物最大的不同，就是人類經常做各式各樣徒勞無功的事。」

「爲什麼？」

「好問題，我想是因爲……人類是一種閒不下來的動物，如果太快完成一件事，就會節省太多的時間，如果有太多時間卻不知道要做什麼，人就會很無聊。」我只是隨便說說：「阿祥，你知道人類是種非常長壽的動物嗎？活太久卻不知道要幹什麼，是一件很恐怖的事，所以人類會努力把非常簡單的東西給複雜化，好掩飾自己其實是在浪費時間的眞相。」

「吡吡吡，我開始理解了。」阿祥似懂非懂，頓了頓，說：「我在電視看到很多人很努力地將一口就可以吃掉的食物，用非常複雜的方式烹煮它，這也是想要順利浪費時間，對吧吡吡吡？」

「可以這麼說。」我鼓勵阿祥：「你想要當一個眞正的人類，除了要努力工作賺錢之外，也要好好學習如何浪費時間，這樣才可以將工作賺到的錢連同時間一起浪費掉，知道嗎？」

「我會努力的，呲呲呲。」阿祥顯得有點高興。

□

九點到了，老伯出現了。

我站了起來，被我交代不要隨便亂講話的阿祥也站了起來。

老伯的身邊亦步亦趨跟著一個外星人，外星人一看到我就趕緊遞上名片：

「你好，你一定就是大名鼎鼎的九把刀先生的助理，王大明先生了吧？」

名片上寫著：西喇瑪星系8-G107區，第二行星，刺刺武國國家研究院研究員，撒拉八客——百分之百，這絕對是我拿過最潮的一張廢物名片。

「不好意思，因爲我沒有通過外星人的智力測驗，這次只能推薦，不能跟你們一起實驗，希望你們等一下可以順利通過考試，這樣我才可以快點拿到兩位的推薦費跟你的實驗費，銀貨兩訖，天經地義。」老伯的怪腔怪調明顯就是裝的，還裝得非常不像。

「嗯嗯嗯這個都沒問題，你可以滾了。我唯一想問的是……」我看著那位彬彬有禮的外星人，說：「請問這位……」

「撒拉八客。」外星人微微鞠躬。

「是的，請問這位撒拉八客先生，身為一個外星人，你不覺得你長得跟我們地球人未免也太沒有什麼不同了嗎？」

我會這樣說，是因為這位外星人根本就是百分之一百的地球人，完全不需要我多花一個贅字形容來自另一個星球的訪客模樣，不折不扣，他就是個會用中文的洋鬼子。

「關於這個問題，我們可以上車慢慢說。」

「上車？不是上飛碟嗎？」

「不是的，這件事說來話長，但我們刺刺武國來到地球的方式並不是搭乘交通工具，而是曲速傳送空間，這個科技有點難以用地球的語言說明，簡單說就是用高濃度伽瑪雷射束以每秒三億的頻率穩定交錯，藉此在宇宙空間擊破次元孔製造反引力磁場，再用反物質次列光引導時間在空間軸上重新排序，排序完成後，接下來的銀河座標就採用第三十六星等計算法就可以標記完成了。」

「講解得眞是淺顯易懂。」我謙虛地微微鞠躬：「歡迎來到地球。」

03

我跟阿祥跟著那位外星人來到釣蝦場外，撒拉八客左手一揮，沒有從天際衝出一道反物質曲速傳送光束，而是從巷口衝來了一台計程車。

「在地球，我們得好好學習人類的生活方式。」撒拉八客微笑爲我們開門。

「吡吡吡……」阿祥有點高興地表示同意：「我也正在學習。」

那位年輕有爲卻被移植喉嚨的老伯向我們揮手道別。

在計程車上，那位遠道而來的撒拉八客先生解釋道，他們之所以能夠穿越宇宙來到地球，科技當然是比地球還要高個七、八層樓，但爲什麼選中這麼落後的地球進行研究，跟他們長得非常像地球人很有關係。

也就是說，西喇瑪星系8-G107區，第三行星上的居民，其模樣跟地球人極度類似，雖然高矮胖瘦一樣存在著個體間的差別，但大家都是兩隻眼睛一個鼻子一張嘴巴，還都長在大致一樣的地方，開膛剖肚後，臟器的位置與功能好像也沒有太大的差異。

「這就非常奇怪了。」撒拉八客嚴肅地說。

「爲什麼奇怪？」我心不在焉地附和。

「因爲我們星球的環境跟地球並不相似，卻發展出極度類似的主生命體，你不覺得，這一切都非常不可思議嗎？明明第四行星的星體環境跟我們第三行星相距不遠，兩個星球的主生命體卻有不小的差距，你不覺得，這也很奇怪嗎？相反地，我們兩個星球距離如此遙遠，即使用光速旅行也要三十萬年的時間，彼此卻孕育出高度相似的主生命體物種，這種遙遠的羈絆，眞正是宇宙的浪漫啊！」撒拉八客微笑。

「喔，那很好啊。」我豎起大拇指比讚。

眞是辛苦了，不知道是哪家精神病院跑出來的妄想症。

「但我們沒有黑人。」撒拉八客皺起眉頭。

「陳建州嗎？」我大方地說：「那我們送你啊！」

「不是，是黑皮膚種族的人。」撒拉八客苦惱地說：「我們一直覺得很奇怪，我們的星球上也有白人、黃人、紅人之別，卻偏偏沒有黑人，這是爲什麼？我們不知道，爲什麼你們有黑人我們卻沒有，到底是演化上出了什麼分歧點，還是黑人的生理構造與地球環境有什麼特殊的聯繫，這點也是我們的實驗重點之一。」

「呲呲呲，爲什麼呢？」阿祥歪頭。

「喔，那很好啊。」我打了一個呵欠：「……隨便啦！」

不只是想弄清楚爲什麼地球有黑人，西喇瑪星系8-G107區第三行星卻沒有黑人，這群外星人也想知道地球人的身體構造是否完全跟他們的星人一模一樣，還是存在微小的差異，或許那些微小的差異便是西喇瑪星系8-G107區第三行星上沒有盛產黑人的箇中原因。

所以他們做了很多奇奇怪怪的實驗，都在於想更加了解地球人的身體。實驗的項目五花八門，撒拉八客快速說了一些，就跟釣蝦老伯說的差不多，全都是一些毫無學術價值的爛手術。

爲了加速研究的進行，他們總共派遣了十幾組研究團隊在地球各處進行研究。在台灣，這群外星人已經深耕了五年時間，實驗項目也越做越細，各組之間互相較勁、比賽誰先找出爲什麼地球盛產黑人的原因。

雖然我一句話也沒相信，但基於禮貌我還是勉爲其難地比了個讚。

「研究人類好玩嗎？呲呲呲？」阿祥的眼睛倒是閃閃發亮。

「這是一個非常神聖的領域啊。」撒拉八客莊嚴地結束話題。

我們抵達一點也不神祕的巷弄深處時，計程車的錶跳了兩百四十五塊。

依照剛剛彎進巷子前我看到的最後一個街牌，這裡是永和四號公園一帶，一條擠滿機車的窄小巷子底，我想這裡的居民壓根都沒想過西喇瑪星系8-G107區第三行星星人暫時就住在附近搞人體實驗吧。

下車前計程車司機向我偷偷使了個眼色。

「嗯？」我不懂。

「要不要幫你報警？」計程車司機壓低聲音，瞥了一下車外的撒拉八客。

了解，眞是好心的司機大哥啊。

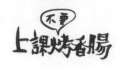

「不用了，應付神經病在我工作的範圍內。」我心頭暖暖地關上車門。

這個社會眞是溫暖。

不過不是我在臭屁，神經病我超會應付的，在上一本《上課不要看小說》裡面我已經示範過種種危機應變的技巧，還能從與神經病的相處中取得重要的寫作資料。眼前這個領我上樓、自稱外星人的中年男子，怎麼說也不可能比那一個超會踩腳的友慧還要兇狠吧？

04

所謂的實驗室位於公寓五樓的頂樓加蓋。

樓梯間的氣氛很怪，由於這裡是一層兩戶，而外星人租下的這一戶人家對面的另一戶人家的門口，那戶人家從門口到樓梯間排了好幾個揹著可稱是全副武裝登山設備的男人，而門縫裡不斷傳來女子淫蕩的叫春聲，叫得欲仙欲死好不快活。

我多看了一眼，只換來那幾個登山客的白眼。

「看三小？」一個登山客瞪著我。

我注意到他的眼睛只剩下一隻，很恐怖。

「沒有啊。」我的耳根子一定紅了。

「還看！」另一個登山客發怒指著我。

我發現他的手指少了兩隻，好少隻。

「……」兇屁啊？來嫖妓還要排隊，啊不就好了不起？

我只敢在心裡回這一句，使不敢再看，也不想研究他們排隊嫖的妓女是何方神聖，正所謂神雞如此多嬌，引無數殘障競折腰。好詩，好詩！

「到了，請進。」撒拉八客將所謂的實驗室門一開。

哇靠，裡頭完全沒有實驗室的感覺，房屋裡的擺設就是一間裝潢沒有格調也毫無風格可言的死樣子，完全沒有必要花字數描述空間感。

倒是已經有好幾個人擠在沙發區，或站或坐或蹲，正都聚精會神塡寫一份試卷，我想那一定是傳說中的智商測驗題了。

像撒拉八客那樣身穿全套黑色西裝、臉「幹我就是外星人啦」的假外星人，大概還有五位，他們帶著略顯僵硬的笑容，在那些正在做測驗的人旁走來走去，監考吧我猜？

「那麼，先請你們塡寫這一份問卷，通過了我們再開始實驗。」

撒拉八客發給我們考卷，一人一張，說：「半個小時內請作答完畢。」

地球版

西喇瑪星系8-G107區第三行星，高階智力測驗試卷

請各位同學發揮你的高智商，在半小時內作答完畢。	□合　格
姓名：＿＿＿＿＿＿	□不合格

1. 道德行動題

如果你在公共廁所裡大便，卻發現牆上的公共衛生紙用完了，請問該怎麼做，才是最聰明的決定？

□打電話向朋友求助？
□犧牲襪子或內褲取代衛生紙？
□跟隔壁的便友商借衛生紙？
□直接用濕濕的屁眼在牆壁上寫字？
□間接用濕濕的手指在牆壁上揮毫？
□不管了直接穿上褲子走人？
□冒險走到洗手臺用手取水清拭屁眼？
□其他？

試論證原因？

2. 科學應變題

如果你獨自一人在太空旅行中遇到曲速引擎遭破碎星體擊毀，動力失去四分之三，可預見不久後機體有焚燒的危機，你應該怎麼做，才有最大的生存機會？

□加速航行到最近的星體，發送信號等待救援？
□設定自動駕駛，然後試圖自行維修？
□爲避免機體爆炸馬上停駛，在宇宙空間自然漂流，思考下一步？
□利用最後的能源發射等負離子光束，搜尋周遭最近的飛行

地球版
西喇瑪星系8-G107區第三行星，高階智力測驗試卷

器，設定自動拖曳？

□趁動力尚足時，一口氣暴衝進入曲速跳躍，試圖回到母星基地附近？

□以尚未驗證的光能薩滿假說爲基礎，隨機進入宇宙空間的平行蟲洞？

□其他？

試論證原因？

3. 冒險犯難題

一個人在荒野中行走，在前方遇到四條岔路：

□A 路有一隻剛吃飽的孟加拉虎，

□B 路有四隻快餓死了的鬣狗，

□C 路有一隻獅子跟一隻熊正忙著打架，

□D 路爲食人族經常出沒的獵人頭路線。

請問你應該選擇哪條路，才是最合理的決定？

試論證原因？

4. 分析能力題

請問孔子、秦始皇、五月天阿信、達文西、葉問、湯姆克魯斯、織田信長、牛頓、林肯、林書豪、尾田榮一郎、麥可喬丹、周星馳，這幾個人有哪一個共同點？

試論證原因？

⊕ 地球版

西喇瑪星系8-G107區第三行星，高階智力測驗試卷

請各位同學發揮你的高智商，在半小時內作答完畢。	□合 格
姓名：王大明	□不合格

1. 道德行動題

如果你在公共廁所裡大便，卻發現牆上的公共衛生紙用完了，請問該怎麼做，才是最聰明的決定？

□打電話向朋友求助？

□犧牲襪子或內褲取代衛生紙？

□跟隔壁的便友商借衛生紙？

□直接用濕濕的屁眼在牆壁上寫字？

□間接用濕濕的手指在牆壁上揮毫？

□不管了直接穿上褲子走人？

□冒險走到洗手臺用手取水清拭屁眼？

☑其他？ 用自己的衛生紙

試論證原因？

因為我有帶！

2. 科學應變題

如果你獨自一人在太空旅行中遇到曲速引擎遭破碎星體擊毀，動力失去四分之三，可預見不久後機體有焚燒的危機，你應該怎麼做，才有最大的生存機會？

□加速航行到最近的星體，發送信號等待救援？

□設定自動駕駛，然後試圖自行維修？

□為避免機體爆炸馬上停駛，在宇宙空間自然漂流，思考下一步？

□利用最後的能源發射等負離子光束，搜尋周遭最近的飛行

我最討厭寫考卷了，但這份考卷的第一題就嚇到我，害我忍不住認真起來。

地球版
西喇瑪星系8-G107區第三行星，高階智力測驗試卷

器，設定自動拖曳？

☐趁動力尚足時，一口氣暴衝進入曲速跳躍，試圖回到母星基地附近？

☐以尚未驗證的光能薩滿假說爲基礎，隨機進入宇宙空間的平行蟲洞？

☑其他？ 馬上去買一台新的飛碟

試論證原因？ 新的比較好！

3. 冒險犯難題

一個人在荒野中行走，在前方遇到四條岔路：

☐A路有一隻剛吃飽的孟加拉虎，

☐B路有四隻快餓死了的藏獒，

☐C路有一隻獅子跟一隻熊正忙著打架，

☐D路爲食人族經常出沒的獵人頭路線。

請問你應該選擇哪條路，才是最合理的決定？ 往回走

試論證原因？ 啊不然咧？

4. 分析能力題

請問孔子、秦始皇、五月天阿信、達文西、葉問、湯姆克魯斯、織田信長、牛頓、林肯、林書豪、尾田榮一郎、麥可喬丹、周星馳，這幾個人有哪一個共同點？ 都是韓國人

試論證原因？

全世界都是韓國人發明的！

別說半小時了，我一分鐘就交卷。

我天資聰穎寫超快不意外，意外的是阿祥也跟我同一時間交卷，而其他人都還在振筆疾書，將考卷的空白處寫得密密麻麻，有的還將考卷翻過去寫，上面還有非常複雜的圖案輔助。

我忍不住看了一下阿祥的答案。

🌐 地球版

西喇瑪星系8-G107區第三行星，高階智力測驗試卷

請各位同學發揮你的高智商，在半小時內作答完畢。	□合　格
姓名：黃家祥	□不合格

1. 道德行動題

如果你在公共廁所裡大便，卻發現牆上的公共衛生紙用完了，請問該怎麼做，才是最聰明的決定？

□打電話向朋友求助？

□犧牲襪子或內褲取代衛生紙？

□跟隔壁的便友商借衛生紙？

□直接用濕濕的屁眼在牆壁上寫字？

□間接用濕濕的手指在牆壁上揮毫？

□不管了直接穿上褲子走人？

□冒險走到洗手臺用手取水清拭屁眼？

☑其他？ 吃掉大便

試論證原因？ 因為可以吃

2. 科學應變題

如果你獨自一人在太空旅行中遇到曲速引擎遭破碎星體擊毀，動力失去四分之三，可預見不久後機體有焚燒的危機，你應該怎麼做，才有最大的生存機會？

□加速航行到最近的星體，發送信號等待救援？

□設定自動駕駛，然後試圖自行維修？

□為避免機體爆炸馬上停駛，在宇宙空間自然漂流，思考下一步？

□利用最後的能源發射等負離子光束，搜尋周遭最近的飛行

地球版
西喇瑪星系8-G107區第三行星，高階智力測驗試卷

器，設定自動拖曳？

□趁動力尚足時，一口氣暴衝進入曲速跳躍，試圖回到母星基地附近？

□以尚未驗證的光能薩滿假說為基礎，隨機進入宇宙空間的平行蟲洞？

☑其他？變成一顆蛋

試論證原因？比較好

3. 冒險犯難題

一個人在荒野中行走，在前方遇到四條岔路：

□A 路有一隻剛吃飽的孟加拉虎，

□B 路有四隻快餓死了的藏獒，

□C 路有一隻獅子跟一隻熊正忙著打架，

□D 路為食人族經常出沒的獵人頭路線。

請問你應該選擇哪條路，才是最合理的決定？B→A→C→D

試論證原因？最好吃的留到最後吃

4. 分析能力題

請問孔子、秦始皇、五月天阿信、達文西、葉問、湯姆克魯斯、織田信長、牛頓、林肯、林書豪、尾田榮一郎、麥可喬丹、周星馳，這幾個人有哪一個共同點？都可以吃

試論證原因？

……都可以吃吧？

「阿祥，沒想到你答得滿不錯的嘛！」我拍拍阿祥的肩膀。

「普普通通啦，呲呲呲。」阿祥有點難爲情。

雖然這份考卷很智障，但我們的答案也不遑多讓，我覺得我們馬上可以滾了。

過不久，所有人都交卷了。

在等待考卷批改結果出爐時，我們這群彼此都不認識的人之間的氣氛有點尷尬，你不看我，我不看你，避免交流彼此的視線。說真的，大家被哄被騙來參加假外星人的智力測驗，本身就非常侮辱自己的智商！

不久後，撒拉八客公布測驗合格的人選。

「本次智力測驗難度極高，各位龍爭虎鬥，戰況激烈，比賽過程精采絕倫，但勝負在所難免，難免有遺珠之憾。現在公布智商測驗合格的人選，聽到的人請舉手——陳志榮。」

「啊？又！」一個還穿著黑貓宅急便制服的大叔驚慌失措地舉手。

「陳王佳惠。」撒拉八客宣布。

「是！」一個肥胖大嬸閃電舉手，腳邊還放著一個菜籃。

「黃綺君。」撒拉八客宣布。

「……」一個戴著紅色膠框眼鏡的女大學生，臉色不悅地舉手。

「江啓斌。」撒拉八客宣布。

「幹！」一個土流氓模樣的男人瞪大眼睛：「眞的假的？」

「王大明。」撒拉八客宣布。

「！」我的反射神經一時會意不過來。

「王大明？」撒拉八客看向我。

「幹！」我大驚舉手。

那戴著紅色膠框眼鏡的女大學生瞪了我一眼。

「最後一位，黃家祥。」撒拉八客宣布。

「是。」阿祥緩緩舉手，吐舌：「呲呲呲。」

撒拉八客滿意地點點頭，輕輕鼓掌：「恭喜以上六位高智商傑出人類，即將協助我們展開意義重大的新實驗，現在，就讓我們爲入選的人開心，爲落選的人惋惜，讓我們，珍、重、再、見。」

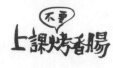

在零零落落的掌聲中，我著實驚魂未定，光是我跟阿祥那種瞧不起人的爛答案也可以合格，就足以證明這是一份無效的智力測驗啊！

送走了那些智力測驗不合格但一臉也不遺憾的人後，那幾個假外星人走進廚房說要準備實驗器材，留下我們這六個入選者坐在客廳裡乾瞪眼。

倒是阿祥先開了口。

「所以我是一個高智商的人類了嗎？呲呲呲！」阿祥有點高興地看著我。

「肯定不是。」我斬釘截鐵地否定。

「希望實驗不要搞太久啊，我等一下還要回家陪老公睡覺。」買菜大嬸擔心。

「我入選還可以解釋，但爲什麼是你們跟我一起入選？」女大學生語氣不滿地說，一副高高在上：「你們到底在考卷上回答了什麼？」

「我也沒寫什麼太了不起的東西，我只是盡力而爲而已。」宅急便大叔抓抓頭，一臉不好意思：「Just do it, mission impossible.」

「我幹你娘。」土流氓冷冷地看著女大學生。

「你憑什麼罵我？」女大學生氣急敗壞地瞪著土流氓。

「我說，我在考卷上寫幹你娘。」土流氓得意洋洋地補充：「我就一直寫幹你娘寫到連考卷翻過去都還在幹你娘！」

女大學生氣到漲紅了臉，顯然不信。

但我當然是信的，百分之百地信，因爲我的答案沒有比滿紙幹你娘高明到哪裡去，而我也坐在這裡成爲一個出類拔萃的高智商人士。

「現在怎辦？等一下眞的會有實驗嗎？」我轉移話題。

「呲呲呲。」阿祥湊熱鬧。

「管他什麼實驗，有錢拿就對了。」土流氓從鼻子吹氣：「敢不給錢的話，等一下我就抄一堆兄弟過來，把他們通通幹一幹，幹完了再抓去塡海！幹！」

「對對對對，就是賺外快嘛。」買菜大嬸又看了一次手錶，神色焦躁。

眞是個超矛盾的大嬸，現在都已經幾點了，買菜哪有人買到這麼晚的？如果這麼晚還沒回家老公都沒發現，那就眞的不需要回家了好嗎大嬸。

「不管等一下是做什麼實驗，人家互相幫助，有個照應總是好的。」宅急便大叔抓抓後腦袋，靦腆地說：「Like a bridge over trouble water，哈哈，哈哈……」

「我幹你娘講三小英文！」土流氓超不屑。

「呲呲呲？」阿祥有點不懂現在的氣氛。

「你可不可以嘴巴放乾淨點，不要說什麼都一直帶髒話？」自視甚高的女大學生語氣尖銳，針對土流氓：「對人有一點基本尊重，OK？」

「我幹妳娘。」土流氓翻白眼，展開經典的彎三抖腳：「幹完妳娘就幹妳妹，妳妹幹完就幹妳！」

「你說什麼！」女大學生氣得頭髮都快豎起來了。

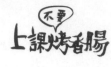

「我說我要幹妳娘，幹完妳娘就幹妳妹，妳妹幹完就幹妳！」土流氓的腳越抖越快：「還是妳要我先幹妳再幹妳娘？也可以呀，只要妳猜拳猜贏妳娘我就先幹妳！」

我雖然講話低級兼沒水準，但土流氓這種幹你娘連發的用詞還是讓我反應不及，我得集中百分之百的注意力才能聽清楚到底他要先幹這個女大學生還是先幹她娘。

此時撒拉八客與其他五個黑衣人笑容可掬地從廚房走了出來，他們手上閃閃發亮的銀色鋼瓶令這一連串超沒水準的幹妳娘戛然而止。

「那我們就開始實驗吧。」撒拉八客說。

語畢，他們同時戴了封閉式面罩。

在我們都還沒意會到戴那些面具代表什麼意思的時候，銀色鋼瓶裡噴出的高壓氣體已籠罩我們。

接下來誠如你想，那一瞬間我們就昏死過去。

05

醒來時，第一個感覺是冷。

「好冷。」我打了個哆嗦。

「沒穿衣服當然冷啊幹你娘！」土流氓啐了一口痰。

沒錯，我們全身都被剝光光，全身赤裸地大字型攤在彼此面前，不僅如此，我們的雙手被緊緊銬住，雙腳也被強制撐開，在宛若十字架的奇特刑具上完全無法反抗。

面對這個逆境，我首先注意到剛剛那個瞧不起眾生的高貴女大學生，她美妙的裸體也毫無保留地暴露在我們面前，我的嘴角情不自禁地揚起。

「看什麼看！」女大學生咬牙切齒：「非禮勿視沒聽過是不是！」

「我幹妳娘！」土流氓還是維持他的經典台詞。

「啊怎麼會被脫光光呢？現在到底是What's wrong with everybody啊？」宅急

便大叔不斷扭動想縮起光溜溜的身子，但當然是徒勞無功。

「這到底是什麼實驗啊？很快就結束了嗎？」買菜大嬸羞紅了臉，但沒人想看。

「呲呲呲。」阿祥也是一臉剛剛醒來的矇矓。

「等等！……阿祥，你的陰莖呢！」我大吃一驚。

哇靠！阿祥的陰莖不見了！

才睡一覺，陰莖就從阿祥的兩腿之間憑空消失了！

難道這個變態的外星人實驗內容，就是切除高智商人的性器官嗎？

「不是，呲呲呲，我沒有陰莖。」阿祥自己倒是很冷靜。

「什麼叫沒有陰莖？」我嚇壞了。

「我是母的，呲呲呲。」

「什麼叫你是母的？」

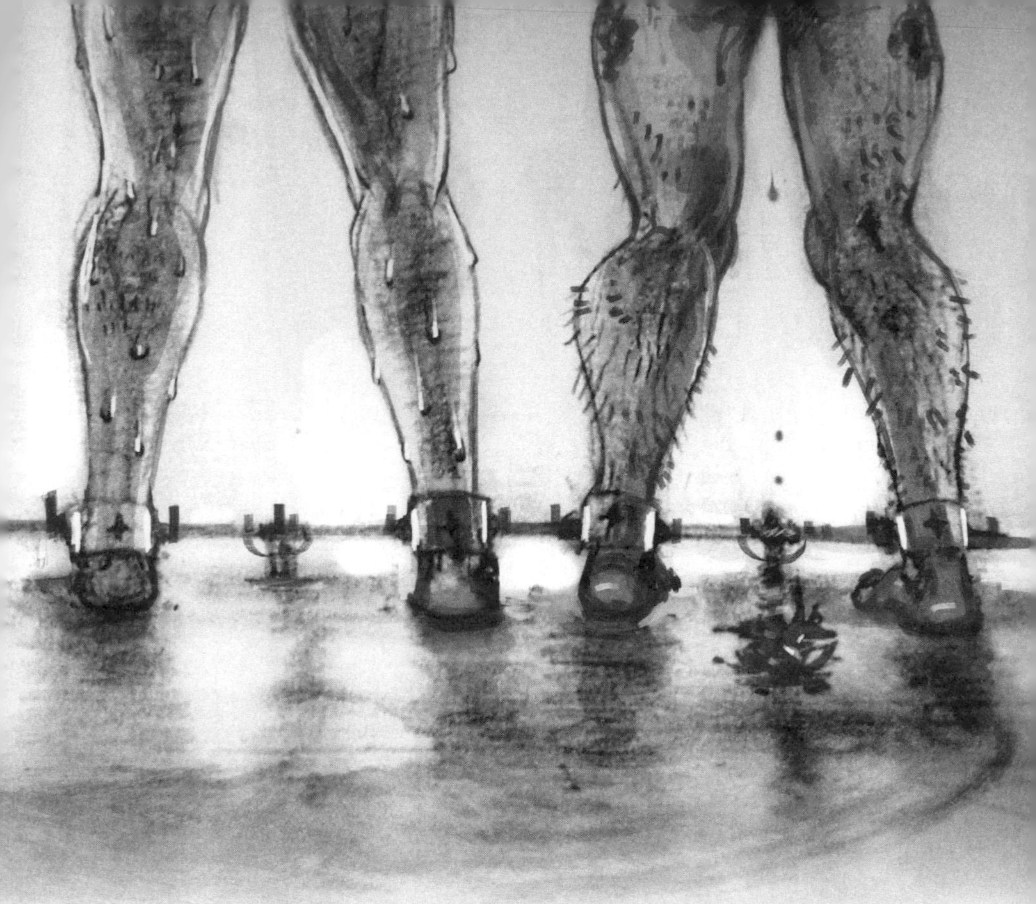

「我是一隻母蛇，呲呲呲。」阿祥認眞地解釋，一點也不避諱在場還有別人：「我試過把陰莖變出來，但我猜陰莖是人類雄性至陽之物，我的道行還不夠，呲呲呲，就是變不出來，呲呲呲……」

哇，我從來沒想過那條巨蛇的性別，對我來說，或者對很多人類來說，蛇就是蛇，哪會去想蛇是公的還是母的？打從這個大蛇妖用阿祥的身體重新出現在我面前的那一刻，我就把牠當成一個男的，一個擁有陰莖的，百分

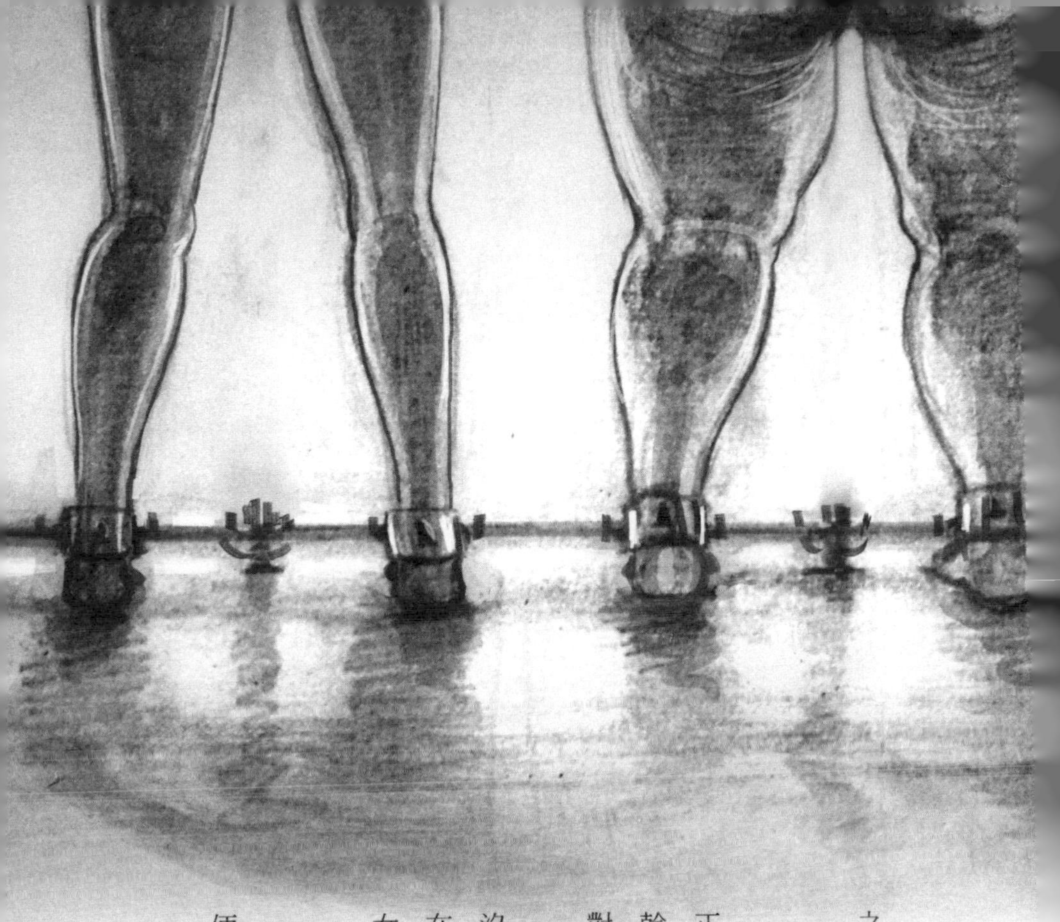

之百的雄性！

現在！牠原來是條母蛇！

「聽不懂什麼蛇不蛇？反正你的朋友沒老二就是陰陽人啦幹！」土流氓超不屑我們之間的對話。

「現在是討論你朋友爲什麼沒有……沒有陰莖的時候嗎！現在是怎樣！腦子都不清楚嗎！」女大學生氣到奶頭都尖了起來：「還看！頭轉過去！」

「啊，sorry！sorry！」宅急便大叔趕緊道歉。

「還有你！還看！」女大學

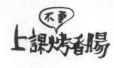

生對我咆哮。

「啊看一下是會死喔？」我忍不住回嘴。

「是不是我成為一個完全的人類的時候，我就會有陰莖了吡吡吡？」阿祥根本不管現在是什麼狀況，依舊非常執著。

「阿祥，人類跟其他動物最大的不同就是，我們人類會看狀況決定什麼是當下最重要的事，而現在最重要的事，絕對不是你要怎麼樣才可以長出一條活蹦亂跳的老二，而是，我們到底要怎麼脫困！」

「喔，你們誤會了。」

主導這場詭異實驗的撒拉八客當然又出現了。

他與他身後的五個黑衣人，手上全都戴上超薄型手術手套，他們臉上超專業的制式化笑容讓人不寒而慄，我們全都閉嘴。

「你們誤會了，各位並不是受困，你們是主動參與我們的人體實驗，這一點在你們來之前就已經充分被告知了。不過各位別擔心，實驗很快就會結束，在你們離開這裡之前，也將獲得一筆讓人滿意的報酬。」

「……我幹你娘。」土流氓第一個回話。

撒拉八客向土流氓點頭示意，接著道：「就如同各位所知道的，今天的實驗完全針對高智商的地球人所設計，實驗主題是，高智商人類的肛門在經過異體交換後，是否會影響智商的變化。」

六個黑衣人一字排開，手裡拿著似乎一點也不高科技的焊槍。

焊槍噴嘴射出青色火焰，烤著另一隻手上所拿的一點也不高科技的手術刀。

「什麼！你想用手術將我們的Ass換來換去？」宅急便大叔大驚。

「我現在就告訴你！不會！」我慘叫：「換肛門不會影響智商！」

「我幹你娘！」土流氓這次終於應對得體了。

被幹你娘的撒拉八客不爲所動，依舊笑容滿面：「如果各位在今天實驗中表現良好，將有機會參加我們一週後的進階主題：高智商人類與低智商人類的肛門進行交換後，是否會產生智商互換的情況。」

「不會！鐵定不會！」我慘叫。

「我也保證！I promise肛門跟智商一點關係也沒有！Nothing's gonna change my love for you！」宅急便大叔也慌了。

「你們到底是什麼人！快點放我們出去！」女大學生屈辱地大叫。

「我想回家大便。」買菜大嬸也哭了。

「幹！你！娘！」土流氓奮力掙扎：「誰也別想動老子的屁眼！幹！」

「吡吡吡，吡吡吡？」阿祥看起來滿臉疑惑，完全不知大難臨頭。

不理會我們的哭天搶地，撒拉八客有條不紊地維持他的實驗說明順序。

他說，爲了讓這項實驗有豐富的資料前後對照，除了剛剛用測驗卷了解了我們的智商外，我們的肛門也得建立完整的資料庫，因此……

「因此怎樣！」女大學生全身都快爆炸了。

「因此我們得先調查各位的肛門。」

撒拉八客嘉許地看了女大學生一眼：「不過各位不要過度擔心，爲了避免肛門遭到傷害，我們會將各種營養豐富的蔬菜水果塞進各位的肛門，並記錄你們的肛門針對不同特質的蔬菜水果產生的刺激與反應。等到肛門交換手術完成後，我們再以相同營養質量的蔬菜水果塞進各位的新肛門，記錄肛門在不同的宿者身上是否仍有相同的感受，或是有全新體驗。當然了，那時候也會再做一次智力測驗，一切過程都十分科學，敬請期待。」

「期待個屁！」我眞的快瘋了：「超不科學！」

「我想回家大便。」買菜大嬸一直哭。

「我幹……」土流氓慘叫：「你……」

土流氓並沒有正確無誤地把你的娘幹掉，因爲一顆蘋果已經以時速一公里的速度滑入了他的屁眼，土流氓的表情瞬間揪結起來，好像聖鬥士的小宇宙噴發。

「江啓斌先生，請問你現在有什麼感受？」一個黑衣人非常專業地問，手上拿著紙筆等待。

「喔喔喔喔喔……我幹……」

「覺得很幹？」

「喔喔喔喔喔喔喔喔喔……」土流氓的表情扭來扭去，就是說不清楚。

「是表達的詞彙不足，還是感覺就是喔喔喔？」

「喔喔喔喔喔喔喔喔喔喔喔喔喔喔喔……」

「了解。」黑衣人點頭速記。

我的天啊，這根本就不是實驗，從頭到尾我都沒有看到任何屬於外星人的高科技設備，也沒有看到一個長得不像地球人的外星人！我只看到一顆蘋果塞進一個沒水準的屁眼！

這是性虐待！性變態的性虐待嘛！

另一個黑衣人拿著一顆柳丁，慢慢接近張口結舌的宅急便大叔。

「等等！Wait a moment！」宅急便大叔急了：「能不能打個商量不要put that 柳丁 in my ass？！我們可以文明一點！ＯＫ！」

「實驗是神聖的。」

「那能不能換小顆一點的柳丁？Change！Change！」

當然是不能Change，隨著那顆柳丁以秒速五公分的動能進入宅急便大叔的ass，宅急便大叔的人生也在這一刻進入了新的境界。

黑衣人詳細記錄著大叔中英交雜的感想，我則完全不想聽。

擅長險中求勝的我忙著注意實驗桌上的蔬菜水果裡有芹菜、小黃瓜、香蕉、茼苣、火龍果、山藥、荔枝、龍眼、甘蔗、香菇、紅椒、水梨、高麗菜、一串魚蛋、紅蘿蔔、仙草還有一顆非常顯眼的西瓜跟……鳳梨。

托A片之福，如果是香蕉或小黃瓜之類要插我屁眼倒還可以想像，魚蛋雖然不是蔬菜水果也無所謂，但絕對！我絕對不能讓那顆西瓜跟那團鳳梨接近我！

我在心中暗暗祈禱。

06

現在我們把鏡頭交給棚內的買菜大嬸。

「我想回家大便。」買菜大嬸還是哭。

「實驗結束後就可以回家大便了。」

黑衣人溫馨地向她保證，一邊將那串還在冒煙的魚蛋塞進她顫抖的屁眼。

「陳王佳惠女士，請問妳現在有什麼感覺？」黑衣人專注地觀察。

「我想大便。」買菜大嬸臉色一沉。

只見那串消失的魚蛋又出現了。

大便也像擠牙膏一樣出現了。

原來那串莫名其妙被歸在蔬菜水果類的魚蛋，是被大便排山倒海的力量給推擠出來的，眞所謂精誠所致金石爲開，就是這個道理。

「喔！」黑衣人嘖嘖稱奇，仔細記錄下這一切過程。

阿祥就太不幸了。

那一顆讓我非常擔心的鳳梨，已經被阿祥的屁眼給認養了。

「請問黃家祥先生，你的肛門現在有什麼感覺？」黑衣人照樣訪談。

「痛，呲呲呲。」阿祥眉頭緊皺，發表感想：「人類跟其他動物真的有好多地方都不一樣，呲呲呲……」

「阿祥！撐住！」我只能給予精神支持。

阿祥真的是一個很奇妙的衰人。

在以前還是宅宅那個版本的阿祥，他的命運悲慘到被一頭大蛇給吞了，說出去誰也不信。而現在這個只擁有阿祥軀殼的2.0版本阿祥，還是同樣命運乖舛，屁眼活吞了一顆沒剝皮的大鳳梨。

女大學生那一邊，則是誓死抵抗到底，非常貞烈。

「我警告你！你們如果在我身上進行這種下流手術，我出去一定會告死你們，一定！」女大學生好屈辱，明明眼淚都爬滿了臉，卻還是義正辭嚴。

女大學生努力夾緊屁眼，屁股左躲右閃，就是不肯讓那顆蒿苣進入她的屁眼，但那副拒絕就範的屈辱模樣，讓人慾火焚身，我眞的好想見證美女人格崩壞的一瞬間。

「黃綺君小姐，請妳鬆開妳的肛門。」

「我拒絕！」女大學生淒厲地說。

如果這是一部正常的英雄小說，那麼小說裡最正的正妹有難時（屁眼快被塞蒿苣了，應該算是超有難吧？），英雄便會登場，在千鈞一髮之際出手解救美女……的肛門。

眞高興，這不是一本英雄小說。

甚至這不是一本正常的小說。

「啊啊啊啊啊啊啊啊！我恨你們！我恨！我恨！！」

在蒿苣的凌辱下，女大學生徹底崩壞了。

異常地，她沒有哭，也不再吭聲。

她的眼神陷入一種很冷酷的意境，這意境太高深了我看不懂。

如果這是漫畫《獵人》，女大學生已經強制自己成長變成一個爆氣的老女大學生，但幸好這也不是漫畫《獵人》，所以這個女大學生只是一個屁眼含著一團萵苣的崩潰女大學生。

剩下我了。

黑衣人站在擺滿蔬菜水果的實驗桌上，端詳著該拿什麼插我好。

身爲一個職業作家的幫手，我眞的完全沒有想像過幫九把刀尋找故事靈感會危險到哪裡，所有我曾遭遇過的危險與困境，都讓我覺得未來不可能更糟。再糟，也不可能糟過文慧的鐵腳，不可能糟過喬奶大嬸的自爆，不可能糟過大蛇的吞噬，不可能糟過魔神仔的噁爛大餐，不可能糟過住滿猛鬼的自殺旅舍……

現在，我的屁眼戰慄不已。

「那就這個吧。」

黑衣人愼重地拿起一盤仙草，慢慢走向我。

仙？

草？

「哈哈哈哈哈哈哈哈哈哈！我是仙草！我是仙草！」我樂壞了。

眞的！

這輩子我就這一刻最快樂最爽最無敵了！

「你們看！我是仙草啊！」我拚命大叫，簡直笑出眼淚了：「我是仙草！」

買菜大嬸、女大學生、土流氓以及宅急便大叔，全用一種極度憎恨的眼神看著我。那種眼神裡包含的高濃度怨毒，實在是讓我爽翻天啦！

於是那位黑衣人奮力地將那盤仙草塞進我的屁眼裡，哈哈完全ＯＫ啦，我超配合地擴張我的肛門，好讓仙草進入。老實說我覺得屁眼有點癢，有點涼，有種奇異的滑稽感讓我一直科科科笑個不停。

「仙草！我是仙草哈哈哈哈哈！我是仙草！仙草哈哈哈哈哈哈！」

黑衣人塞仙草的動作卻停了。

「報告長官，仙草塞不進去，一塞就碎，接下來怎麼辦？」黑衣人嘆氣。

「還怎麼辦！想辦法啊豬頭！」我罵道。

撒拉八客想了想，說：「那就用西瓜吧。」

西瓜！

「等一下！可以用湯匙啊！用……用吸管把仙草吹進去啊！」我大驚。

撒拉八客與黑衣人對看了一眼，像是在考慮我的提議。

「用！西！瓜！」女大學生淒厲地大叫。

「Watermelon！GO WATERMELON！」宅急便大叔也怒吼了。

「喔喔喔喔喔喔喔喔喔喔喔喔喔～～」土流氓齜牙咧嘴。

「我！要！回！家！大！便！」買菜大嬸也尖叫了。

我慌了，我真的慌了：「把我的手鬆開，我自己塞仙草！保證全部都塞進去！我保證每一塊仙草都躺在我的肛門裡！然後我的感覺是超快樂的！」

撒拉八客皺眉：「好吧，把他的手鬆開。」

「用！西！瓜！」女大學生嘶吼著。

撒拉八客又皺了皺眉，說：「等等，那就用西瓜吧。」

「仙草！」我絕不退讓。

「仙草不是蔬菜！」女大學生大爆炸了。

「魚蛋也不是啊！」我怒了。

「西瓜！」女大學生超級大爆炸了。

「西瓜！」宅急便大叔也爆炸了：「西瓜西瓜西瓜西瓜！」

「我要回家大便！」買菜大嬸依然沒有放棄她的理想。

「喔喔喔喔喔喔喔喔喔喔……」土流氓終於說出完整的單字：「西瓜！」

「就西瓜！」撒拉八客拍板定案。

黑衣人立刻雙手捧起那顆大西瓜，步步逼近。

我霍然轉頭看向狀況外的阿祥，大叫：「阿祥！馬上吃掉這些外星人！」

阿祥不解：「呲呲呲，但人類跟其他動物最大的不一樣，不就是人不吃自己的同類嗎？呲呲呲？」

西瓜持續逼近我的肛門，我大叫：「你白痴啊！我不是跟你說過，人類跟其他動物最大的不一樣！那就是！人會爲了自我欺騙而造假！我說我們人不吃人其實是騙你的！人！人一直都會爲了自己犧牲其他的同類！」

「吡吡吡，那，人什麼時候會犧牲自己的同類？」

西瓜已經頂到了我的肛門，我的屁眼慢慢擴張，情勢萬分緊急。

眞捅下去，我的餘生都會有走路走到一半自動漏糞的毛病啊！！！

「保護地球和平，即使犧牲同類也是身爲人類的責任啊！」我慘叫。

「保護地球和平？吡吡吡，什麼時候？」阿祥疑惑。

「現在！」

就在我大吼的同一時間，西瓜逼近我的肛門只有半根指頭的距離。

綁住阿祥的手銬裂開了。

阿祥是怎麼變成一條超級大蛇的，沒人看清楚過程。

只知道一條兇猛的白色大蛇在幾個眨眼間就吞掉了所有穿著黑衣服的外星人，像一陣非寫實的風，像一幢幢電影特效般的鬼影，像睜眼放映的恐怖惡夢。

然後在沒有人看清楚箇中變化的情況下，巨大到足以撐破整個客廳的大蛇莫名消失了，只剩下一個捧著大肚子、沒有老二、屁眼含著一顆鳳梨的赤裸阿祥。

阿祥打了一個很臭的嗝。

「……」所有人都呆住了，買菜大嬸更是昏厥過去。

對他們來說，剛剛那一幕足以超越不久前發生在他們屁眼上的悲劇。

「外星人好吃嗎？」我保持鎮定。

「一次吃太多了。」阿祥答非所問，又打了個嗝：「呲呲呲……」

我四肢垂軟，看著地上那一顆滾來滾去的大西瓜。

結束了。

我的屁眼安全了。

不斷打嗝的阿祥解開了每個人的手銬腳銬，彼此幫忙把屁眼裡的蔬菜水果拔出來，整個過程都沒有人講話，之後也各自默默回家。我想不會有人報警。

那陣子我才有點理解，說不定大家偶爾在電視新聞上看到有人去醫院拔出塞在肛門裡的怪東西，如酒瓶，如手機，如羽毛球拍，如保齡球瓶，非常可能是參加了疑似假外星人的爛實驗，吧？

「阿祥，你剛剛吃的那些人，口感跟以前吃的那些人，有任何不一樣嗎？」回家的路上，我忍不住疑神疑鬼起來。

「吡吡吡，我也不知道。」阿祥有點不好意思：「我都用吞的。」

有很長一段時間，我都無法確定撒拉八客等人到底是眞的外星人、還是得了失心瘋的地球人？畢竟眞正可以證明他們擁有超高科技的交換肛門手術（這種手術雖然很糟糕，但應該很難搞吧？），還來不及發生，我就命阿祥以最自私的暴力強行結束一切。

直到後來發生了另一件事，我才知道，原來那天晚上阿祥的大暴走，大大影響了地球的命運，以及我自己卑賤的人生，而阿祥究竟能不能順利在這個世界裡成爲眞正的人類……

當然，又是這一句。
那又是另一個故事了。

CHAPTER 6

蒸汽繚繞的浴缸

01

不得不說，九把刀是一個很容易躺著也中槍的笨蛋。

這個禮拜他無奈陷入在Makiyo毆打計程車事件的大混戰中，我在旁邊觀察他，忍不住覺得他有一點點可憐，不管是記者還是鄉民都超愛問他各式各樣的社會問題，他不回答，大家就愛猜他心裡想什麼，可只要他回答了，不管說了什麼都會引起一陣天下大亂，然後九把刀就得沒日沒夜窩在電腦前不斷發文澄清，滿背是箭。報應啊報應！

不過他可憐，我更可憐，連續好幾天都在跑可能增進小說靈感的新聞事件，比如有個超唬爛的新聞說，在澳洲有個人晚上在沙漠尿尿，結果陰囊被躲在暗處的毒蛇咬了，他痛到衝進房裡請室友幫他吸陰囊裡的毒，室友拒絕（不曉得考慮多久喔），但還是帶著他開了四十分鐘的車衝到醫院打血清，終於救回這個老二被咬的衰人一條命。

這種低級新聞九把刀最愛了，但這種在ptt八卦版就可以找到資料的新聞，九把刀只會付我一瓶牛奶的錢，所以我得為了其他更有低級潛力的新聞上天下海，好蒐集到一般記者無法接觸到的新聞幕後。

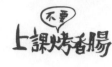

有時忙到我常常忘記，我來擔任九把刀的助理並不是真的想幫助他成為天殺的故事之王，而是想借用這個大爛人的資源去調查我爸爸被神祕液體溶解之謎。

而阿祥2.0，在吃了六個「號稱外星人但看起來很像地球人的人」之後，在我出門尋找靈感時足足在家大睡了一個禮拜。

他以人形縮在房裡角落捧著大肚子，消化的聲音非常難聽，還不時打著超臭的嗝，那些臭嗝凝聚不散，終於從門縫底下飄出。一個禮拜後，住在隔壁的房客懷疑是屍臭（某種意義來說，也的確是屍臭），終於忍不住打電話叫房東處理。

一聽疑似屍臭，房東就腿軟了，馬上找來管區警察跟他一起開門。

當時我不在現場，但據說門一打開的瞬間，首當其衝的兩個警察立刻昏死過去，而那個房東遠遠吸了一口臭嗝的結果，則是喪失嗅覺一個月，失去胃口半年。

02

我到派出所做筆錄的時候，阿祥還沒醒來，只是不忘打嗝。

筆錄只做了五分鐘，派出所裡都是屍臭的味道，所有人都戴著醫療等級的口罩，唯一一個沒有戴口罩的人是銬在椅子上的小偷，而他已經吐到不省人事。

「你朋友怎麼都叫不醒啊？又沒有聞到酒味，是不是嗑了藥啊？」負責筆錄的管區警察口氣很差，臉色更差。

「我哪知道，想知道就抓去驗尿啊。」我態度不佳，因爲我也很無奈。

「就賭你朋友嗑藥！來！抓去驗尿做業績！」管區警察大怒拍桌。

於是昏睡中的阿祥就被抓去廁所驗尿了。

三分鐘後，負責驗尿的小警員慌慌張張從廁所衝出來。

「報告長官……他……」小警員上氣不接下氣。

「他什麼啊！說說！」管區警察瞪著他。

「這位黃家祥先生沒有老二！」小警員神色驚慌。

「什麼叫沒有老二！」

「報告長官……就是……就是沒有老二的意思！」

管區警察疑神疑鬼地跟小警員進去廁所裡看，不久後，兩個警察氣沖沖走向我。

「你朋友爲什麼沒有老二！」管區警察氣急敗壞質問。

「我怎麼知道？我朋友好好跟你們去了廁所驗尿，結果尿還沒驗，老二就不見了，我沒怪你，你怪我？！」我反過來咄咄逼人：「把我朋友的老二交出來！」

「……所以他是陰陽人還是變性人？」管區警察一時語塞：「講清楚嘛！」

「跟你說我不知道啊！我只知道我朋友跟你們去驗尿，然後老二就不見了，他醒來的話一定告死你們。」我冷笑：「告到你們去當舖當老二才賠得起！」

經歷過大風大浪，區區一個爛筆錄怎麼難得倒我。

我們之間無法溝通，但驗尿還是繼續驗，然而阿祥大概是進入了蛇類的類冬眠模式，所以怎麼也叫不醒，要催尿也不得其門而入，但他一直在廁所裡打嗝，近距離拿紙杯等尿的警察們紛紛嘔吐，半小時後終於結束了這一場鬧劇。

繼續狂睡的阿祥被扔在我旁邊，一張痠痛藥布不偏不倚貼在他的嘴巴上。

「不驗了，依我多年的專業經驗，你朋友是習慣性嗜睡。」管區警察一屁股坐下。

「我不知道，反正他在你們廁所丟了老二。」我抖腳。

「別血口噴人啊！」管區警察氣勢一弱，改口：「警民好好合作嘛。」

他問了我一些基本資料，我無關痛癢地隨便回答。

「你朋友到底平常都吃什麼，怎麼打嗝那麼臭！」管區警察口氣很差。

「我哪知道，我又不是他的誰。」我抓頭。

「是不是吃了大便啊！」管區警察憤慨起來。

「不就是屍臭嘛？我看吃了人肉還差不多。」我不甘示弱。

「聽好了，你朋友醒來後叫他多吃青菜啊！要不然就多喝蔬果579啊！總之管管你朋友嘛！衛生習慣那麼差，以後怎麼還有人敢把房間租給他啊？」管區警察嫌惡地說：「該說的我都寫下來了，你沒說的我等一下自己腦補，在這裡簽個名，快點把你朋友帶回去！」

「等等……他不能回去！」一旁昏倒的房東搖搖欲墜地舉手：「他太臭了，我沒有叫他付房間消毒的錢已經不錯了，他一回去的話，隔壁兩邊的房客都會馬上搬走！」

「房間他付了錢的。」我反對。

「合約裡面有規定，房客衛生習慣太差的話，房東有權收回。」房東開始哀求：「拜託你們行行好，別把我的房客都趕跑了，這個月的房租我就不跟你們算了，快搬快搬。」

唉，這倒是阿祥理虧了，我可沒有想爲難無辜房東的意思。

我只好無奈地扛起阿祥叫了計程車，把阿祥扔到天空地闊的大安森林公園，在他身上放了一張紙條和兩張百元鈔票叫他醒來找我。

阿祥只是狂睡覺，我想應該不會有人爲難他吧。

03

滿身草屑的阿祥來找我，已是三天後的事。

沒地方住的他只好跟我擠　個房間，我別無選擇，幸好阿祥的日常花費奇低無比，頂多就是一天一盒雞蛋的程度，沒有造成我什麼負擔，睡覺的時候床當然是我自己睡，而阿祥則將身體蜷曲睡在浴缸裡，這點我倒不覺得委屈了他，他也沒有抱怨。

他變得超宅，幾乎不想出門。

不想出門，阿祥倒有大量看電視的需求，特別是偶像劇，越是纏綿悱惻不切實際的劇情他越愛看，偶爾遙控器切到電影台，也是以愛情電影為主。

每天我出門，阿祥都正襟危坐在和室地板上看著電視。

我回家的時候，阿祥都還維持一模一樣的姿勢，好像紋絲未動。

有一天我回家，阿祥的表情特別古怪。

「我覺得，我好像越來越不了解人類了，吡吡吡。」

阿祥專注的臉上都是電視螢幕的藍色反光。

「怎麼說？電視劇又太難懂了嗎？那就看卡通啊。」

我將排骨便當放在和室桌上，隨手遞給阿祥一盒生雞蛋。

「太難理解的東西，太多太多了，人類眞是太複雜了，吡吡吡。」

阿祥的眼睛一動也不動地盯著電視重播的「東京愛情故事」完結篇，一手默默接過生雞蛋，卻沒有立刻打開盒子吞，而是好好地放在和室桌上。

看電視比吃東西重要？看樣子阿祥已經進入了國小兒童的境界了。

我猜想，從虛僞的電視裡、從那些被文青批評得一文不值的偶像劇和鄉土劇裡，阿祥所學習到關於人類的一切，或許比眞正的現實世界還要更貼近我們對人類的想像……宅在家裡看電視比發傳單更容易了解人類在想什麼吧。

我們一起吃便當跟蛋，一起看「東京愛情故事」倒數第二集的最高潮，男主角永尾丸治在故鄉來回奔跑，到處問人有沒有看過照片上的女孩，都沒有結果，最後獨自一人在足球場上惆悵擺爛時，女主角赤名莉香才偷偷從他的背後出現。一轉頭，還連續來個特寫鏡頭三連發，非常俗氣，但非常……非常……讓人激動得想哭啊！

「丸子！」赤名莉香笑道。

「……」我的視線又模糊了。

這段我已經看過好幾遍重播了，每一次我都會哭得很崩潰，可今天有阿祥在我旁邊，我強忍住像娘砲一樣狂哭的衝動，只令幾滴眼淚滑落。

「你在哭，爲什麼？吡吡吡？」阿祥疑惑。

「這就是人性啦！」我覺得有點丟臉。

「人性就是……哭？吡吡吡？」

「對啊，就很感動啊。」

「哭，我看過的每個電視劇，都會有人哭吡吡吡，通常都是雌性的人類哭，而且一哭就停不下來。但現在你是一個雄性，你也哭，吡吡吡爲什麼？」

「就跟你說這是人性啊，只要是人，就一定會被愛情給感動；一感動，就算是沒人性的九把刀也會虎目含淚啊！」

「……吡吡吡，愛情啊？」阿祥若有所思。

「對啊，愛情很特別啊，你想想，原本沒有任何關係的兩個人，彼此愛上了對方。或者！一開始男的不喜歡女的，或女的不喜歡男的，又或者更慘，兩個人彼此討厭，甚至痛恨對方！但不管，總之這原本陌生的一男一女歷經千辛萬苦終於在一起，從此以後他們就是世界上最親密的兩個人，或許他們還會生下兩個小孩，然後那些小孩長大後，還會去認識別的陌生的男孩、女孩，然後又歷經另一段千辛萬苦的愛情，然後又……」

「然後又生下更多的人類小孩，吡吡吡。」阿祥接著說。

「沒錯，這樣的愛情不値得感動嗎？」

「可是，愛情一定要一男一女嗎？吡吡吡，我之前在電影台看了一部片，有兩個外國人在很美的山上交配，感覺上那部電影也是在講愛情，但他們之間的交配並不會繁衍下一代，呲呲呲這種無法繁衍的感情也可以稱爲愛情嗎？」

嘖嘖嘖，除了怎麼戒也戒不掉的呲呲呲外，我注意到阿祥可以用的詞彙越來越多，語句也開始複雜起來，電視可以教的東西還眞不少，阿祥眞不愧是一條很有靈性的千年蛇妖。

那麼說起來，我應該也可以用一些比較複雜的字眼囉？

「喔，你看的應該是斷背山吧？你已經在看那麼進階有深度的同志電影啦？那正好，我覺得愛情當然不分男女，如果我們逆向思考，今天兩個男的談戀愛了，他們的愛卻不是爲了繁衍後代，而是更單純的喜歡對方，那樣的愛情不是更偉大嗎？不是更感人嗎？」

「……呲呲呲，好像有點道理。」

「不是有點道理，是超級有道理。反正男的跟男的，女的跟女的，都可以談戀愛，就算是人跟鬼之間也可以愛來愛去，比如……最經典的就是倩女幽魂這系列的電影，有機會你切到緯來電影台或東森電影台，他們常常重播，你就會看到愛情跨越人鬼之間的隔閡，那是非常猛的感動喔！」

「也會哭嗎呲呲呲？」

「會啊，一定哭的啊！」

阿祥沉默了片刻，眼睛看著電視，眼神卻沒在看電視。

許久，他開口：「是不是等到我了解愛情以後，我也能成爲眞正的人類呢？呲呲呲？」

「非常有可能。」我胡亂保證。

「那我就能哭了嗎？」阿祥的眼神泛著異光：「呲呲呲。」

「……一定沒問題的。」我點頭。

此時阿祥將手放在我的手上，我登時全身僵硬。

只見他表情無比認眞說：「呲呲呲，那我們兩個來談戀愛吧。」

我大驚，但沒嚇到失去理智：「當然是不要啊。」

「爲什麼？呲呲呲？」

「你是男的耶！」

「我其實是一條母蛇，呲呲呲。」

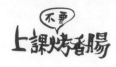

「但你長得就是我的好朋友阿祥的模樣啊！不但是男的，還很醜！」

「你不是說，吡吡吡愛情也可以發生在兩個雄性人類之間嗎？」

「那也要我喜歡你才可以啊！」

「你不是說，愛情也可能是一開始彼此並不喜歡嗎？這樣歷經千辛萬苦的愛情，更加令人感動，不是嗎吡吡吡？」

「我們之間絕對不可能！阿！祥！」

「所以以後歷經的重重困難，會讓我們的愛情更加辛苦嗎？」阿祥躍躍欲試。

「不會！幹完全不會！」我非常堅持。

「我們可以從接吻開始嗎吡吡吡？」阿祥認真地看著我：「我看過好幾個偶像劇，裡面的一個雄性人類跟雌性人類常常從一個不小心跌倒的吻，展開了人類所謂的愛情吡吡吡？」

說完，阿祥把嘴嘟了起來，嘴角還有一點蛋黃！

幹我超想一拳朝他的臉摜下去的！

「阿祥！你冷靜！你聽我說！」我握緊我的拳頭，不讓我的小宇宙爆發。

「還是我們從一不小心喝醉然後就上床交配開始……我們的愛情？呲呲呲？」

「不要！你休想跟我交配！」我往後摔了兩步：「我們之間眞的不可能！」

「這句話我也常常在偶像劇裡聽到，呲呲呲，這算是一種暗示嗎？」

阿祥點點頭，更堅定想要跟我發生關係。

他脫下了褲子，露出沒有陰莖的胯下。

雖然我已經跟雞精、豬怪甚至是樹妖打過砲了，但我眞的上不了阿祥！

「我出去幾天！你先冷靜一下！」

我反射性地奪門而逃，留下沒穿褲子示愛的阿祥。

04

還是失控了。

其實我並不怪阿祥，也可以理解阿祥想嘗試變成人類的決心，畢竟成爲人類是每個妖怪的最高志願，原因不明，極可能是集體盲從，但我理解這種盲從到底的堅定決心。

但我理解阿祥，不代表我願意犧牲自己成全他。

回不了家，我只好在九把刀家裡打地鋪打了三天，直到九把刀用好神拖將我掃了出去，我才勉爲其難地回去。

該面對的還是要面對。

我在巷子口便利商店買了一打台灣啤酒跟兩盒雞蛋，以及一本宮本喜四郎所寫的《偶像劇裡的荒謬愛情大揭露》，打算好好徹夜開導阿祥，讓他迷途知返。

沒想到一開門，就看到一個年輕女孩正坐在我家和室地板上看A片。

「！」我怔住，差點以爲開錯門。

那個年輕女孩長得清純可愛，眼睛大大的清澈無辜，嘴角有兩個小小的梨窩，一頭烏黑俏麗的短髮，最重要的是——我根本就認識她！

她是我最常意淫的日本AV女優，椎名素子！

「我是阿祥，呲呲呲……」椎名素子吐著舌頭。

「阿祥？！」我一震，幾乎要腿軟。

「我變成這個樣子，呲呲呲，你喜歡嗎？」椎名素子，喔不，阿祥說。

「你……你把話給我說清楚！」我扶著牆，這才阻止自己昏過去。

「呲呲呲。」阿祥看起來很得意。

原來我奪門而逃的這三天，阿祥除了持續在電視上看偶像劇外，也開始胡亂摸索我電腦裡的影片，偏偏我的A片檔案夾霸佔了一半桌面，他全都點開來看，發現影片都是人類的交配大全，就沉迷研究下去。

由於我蒐集了我最愛的椎名素子超過三十部A片，所以阿祥看最多的AV

もっと、
もう〜
いくよ
あー
もっと
あー
あー
たい
やめで
はやく
なめて
行くよ
ほら
もう〜
だめ
いや
いちゃった
いっぱいー
あー

女優也是椎名素子，於是原本就是一條無法變出陰莖的母蛇的阿祥，決定試著用自己吃過的幾百個女孩的靈魂（我想阿祥的意思應該是基因，或ＤＮＡ之類的吧），拼湊出椎名素子的模樣，然後在鏡子前面慢慢微調。

他辦到了，從他變成了她。

「阿祥，你這樣讓我不知道該怎麼辦。」我的腦子很亂。

「我這樣，你不喜歡嗎呲呲呲？」阿祥眨眨眼，無辜地嘟起嘴。

看來阿祥也認眞學習過模仿人類女孩裝可愛的方式，我超想揍下去的。

「喜歡個屁！」我很火大。

「可是你有很多她的交配影片，呲呲呲。」阿祥模仿出椎名素子的招牌笑容。

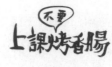

「你這樣眞的不行，阿祥，這樣眞的很怪！」我大聲說，但我其實也不知道自己在亂講什麼。

阿祥穿著從我衣櫃挖出來的運動Ｔ恤，還有一條小短褲，找不到內衣穿的

「她」當然胸前大激突，整個人散發出令我手足無措的少女氣息。

「哪裡怪？呲呲呲？」阿祥嘟起嘴。

「我們是朋友，記得，記得嗎？」我握拳，試著冷靜。

「記得，呲呲呲。」阿祥用力點點頭：「所以我們是從朋友關係開始的愛情。」然後越靠越近，越靠越近。

「不是這樣！雖然你……妳的確是我朋友了，但妳之前可是吃了我另一個朋友，也就是真正的阿祥！」我有點惱怒起來：「所以我們之間是完全不可能的！」

「我知道，我什麼都知道呲呲呲。」阿祥挨著我，撒嬌地在我耳邊說：「我原來是一條蛇，所以我們是人蛇兩隔。我吃了你的好朋友，所以我們一開始是敵人，你很討厭我呲呲呲。但我們一起經歷了奇怪的實驗，有了共患難的基礎。前幾天你跟我吵了一架，所以我們之間有了衝突的高潮呲呲呲……」

我伸出手，卻推不開她。

我……我嘴巴說不要，身體卻很誠實地抱住了阿祥。

好熱，我的身體好熱好熱。

曾對著電腦螢幕打了無數次手槍的女神就坐在我旁邊，穿著我寬寬鬆鬆的衣服和褲子，還嬌羞地投懷送抱，這不就是我夢寐以求的嗎？

不，或許我在夢裡也不敢求過這個畫面。

阿祥將她的頭埋在我的懷裡，聽著我快要爆炸的心跳。

她的呼吸聲，她的氣息，都讓把我逼瘋了。

「現在，我們差不多應該……呲呲呲？」阿祥柔聲。

「應該怎樣？」我的~~龜~~額頭青筋暴露。

「應該交配……不，呲呲呲，我們應該做愛了，對不對？」

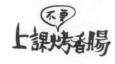

05

爲了表示我跟喜歡斬鐵的九把刀的格調有很大的不一樣，我拒絕用大量的「噗茲噗茲」填滿整整兩頁的稿紙糊弄讀者。而且我想這本小說出版的時候，肯定不是限制級，所以我拒絕譁眾取寵，很有職業道德地大幅省略我跟阿祥接下來半個晚上發生的事。

總而言之，言而總之，半個晚上後，筋疲力竭的我們用僅剩的力氣爬到了浴室，虛弱地將水龍頭慢慢旋開，將熱水注滿浴缸。

我們曲著膝蓋，在小小暖暖的浴缸裡喝著早已不冰的啤酒，我試著讓大量的酒精麻痺我的理智。而阿祥明顯看起來很高興，不僅跟我一起喝光了啤酒，很久沒吃蛋了的她還一口氣吞了整整兩盒蛋。她打嗝的時候竟然會將頭別到一旁，還用手羞答答地摀著……哇靠。

暫時我不想討論剛剛發生在我們身上的異變，我自然而然地說起不著邊際的事。不知不覺，我聊起了我爲什麼會跟阿祥一起去深山的原因。我是一個暢銷作家兼王八蛋九把刀的助手，爲了一封讀者的古怪來信，千里迢迢將自己送入荒謬的險境，還把自己最好的朋友送進一個剛剛跟我那個那個的母蛇的胃裡。

「吡吡吡這就是緣分嗎？」阿祥幽幽聽著。

「反正這一切都是從九把刀那邊開始的。」我避重就輕。

「那你爲什麼要當九把刀的助理呢吡吡吡？」

「因爲我要解開我爸爸當年被神祕液體溶解的謎。」

我只好話說從頭，聊起我小時候的慘事。

然後我又聊到了我怎麼通過九把刀超爛的面試，聊到我第一個出的任務，聊到了我其實是個拯救全台北市免於核爆的無名英雄，聊到我雖然經歷過很多大風大浪，卻還是沒能接近我爸爸被溶解之謎……唉，至今爲止我都還沒進入我人生的冒險主題，眞是沒用。

我聊著，她聽著。

在蒸氣繚繞裡，阿祥看起來很美很美。

「大明，我喜歡跟你做愛，呲呲呲。」印象中，這是她頭一次這麼叫我。

「嗯。」我有點尷尬。

「所以我是不是又更接近人類一點了呢？呲呲呲？」阿祥眨眨眼。

「我不知道。」我沉默片刻，又說：「應該是吧。」

「這幾天我注意到，人類跟其他動物最大的不一樣，可能也包括了，呲呲呲雖然自己不一定做，但人類也很喜歡看不是自己進行的交配。」阿祥舔著嘴角的蛋黃，甜甜地說：「我也很喜歡看人類交配，所以我比以前都更接近人類了呲呲呲，我……好高興。」

說完，阿祥將頭埋進了熱水裡，我情不自禁打了一個冷顫。

這混帳傢伙，A片眞的研究透徹了。

我嘆了一口氣。

「阿祥，其實人類跟其他動物最大的不一樣，就在於人類常常會自以爲自己跟其他動物很不一樣，其實，人類跟其他動物沒有什麼不同。」

阿祥好像沒有聽到，持續潛在熱水裡。

或者我這麼說，其實不是她想要得到的答案吧？

許久，阿祥的臉才浮出水面。

「總有一天，我會學到哭嗎？」阿祥楚楚可憐地看著我。

「會的，一定會的。」我有氣無力地伸出手，摸摸她紅通通的臉。

「那，在我學會哭之前，我先陪你找到你爸爸被溶解的原因，好不好？」

「好啊。」

阿祥抱住我。

我抱住阿祥。

我不知道這是不是談戀愛。

但，擁抱是眞的。

我喜歡這個擁抱，也是眞的。

「……妳剛剛忘了說，呲呲呲。」

「這樣不是比較像人類嗎？」

「呲呲呲，比較像妳。我喜歡聽妳說呲呲呲。」

「呲呲呲。」

全文完，冒險未完

國家圖書館出版品預行編目資料

上課不要烤香腸／ 九把刀作. --初版. --台北市：蓋亞文化，2012. 04
面； 公分. ——(九把刀・小說；4)
ISBN 978-986-6157-80-6 (平裝)

857.7 101000295

九把刀・小說 GS005

上課不要烤香腸

作者 Giddens 九把刀
插畫 Blaze Wu

封面設計／Blaze Wu
企劃編輯／魔豆工作室
電子信箱◎thebeans@ms45.hinet.net
出版／蓋亞文化有限公司
地址◎台北市103赤峰街41巷7號1樓
電話◎（02）25585438 傳眞◎（02）25585439
網址◎www.gaeabooks.com.tw
部落格◎http://gaeabooks.pixnet.net/blog
電子信箱◎gaea@gaeabooks.com.tw
投稿信箱◎editor@gaeabooks.com.tw
郵撥帳號◎19769541 戶名：蓋亞文化有限公司
總經銷／聯合發行股份有限公司
地址◎台北縣新店市寶橋路二三五巷六弄六號二樓
電話◎（02）29178022 傳眞◎（02）29156275
港澳地區／一代匯集
電話◎（852）27838102 傳眞◎（852）23960050
地址◎九龍旺角塘尾道64號龍駒企業大廈10樓B&D室
初版一刷／2012年04月
定價／新台幣 280 元
Printed in Taiwan

GAEA ISBN／978-986-6157-80-6

GS005
GAEA

不要上課烤香腸

蓋亞文化 讀者迴響

感謝您在茫茫書海中選擇了蓋亞，您的支持是我們最大的動力。
不要缺席喔，讓我們一起乘著夢想的羽翼，穿越時空遨遊天地！

姓名：	性別：□男□女	出生日期： 年 月 日
聯絡電話：	手機：	
學歷：□小學□國中□高中□大學□研究所	職業：	
E-mail：		（請正確填寫）
通訊地址：□□□		
本書購自： 縣市 書店		
何處得知本書消息：□逛書店□親友推薦□DM廣告□網路□雜誌報導		
是否購買過蓋亞其他書籍：□是，書名：		□否，首次購買
購買本書的動機是：□封面很吸引人□書名取得很讚□喜歡作者□價格便宜□其他		
是否參加過蓋亞所舉辦的活動： □有，參加過 場 □無，因爲		
喜歡出版社製作什麼樣的贈品： □書卡□文具用品□衣服□作者簽名□海報□無所謂□其他：		
您對本書的意見： ◎內容／□滿意□尚可□待改進 ◎編輯／□滿意□尚可□待改進 ◎封面設計／□滿意□尚可□待改進 ◎定價／□滿意□尚可□待改進		
推薦好友，讓他們一起分享出版訊息，享有購書優惠 1.姓名： e-mail： 2.姓名： e-mail：		
其他建議：		

◎請沿虛線剪開、對摺、裝訂後寄出

◎請沿虛線剪開、對摺、裝訂後寄出

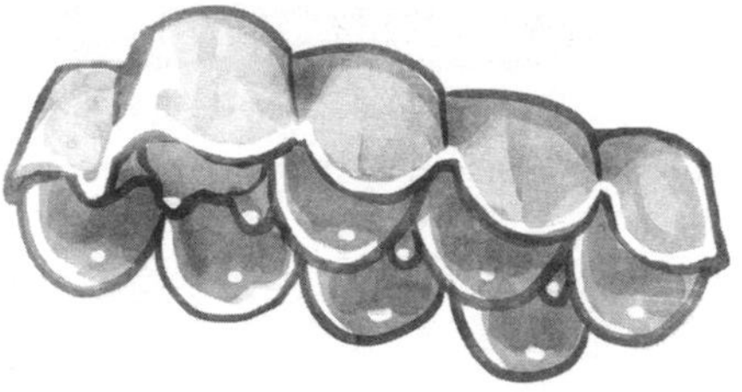

廣告回信 郵資免付
台北郵局登記證
台北廣字第675號

蓋亞文化有限公司　收
103 台北市赤峰街41巷7號1樓

GAEA

GAEA